Le journal d'Alice

Tome 1 ★ PREMIÈRE PARTIE

TEXTE : SYLV
ILLUSTRATIONS : CH

Dominique et Compagnie

Bienvenue
dans le monde d'Alice !

Alice
Aubry
(C'est moi !)

Mon chat,
Grand-Cœur

Ma famille adorée

Marc Aubry,
mon père

Astrid Vermeulen,
ma mère

Caroline,
ma sœur

Notre bébé chéri

Mes amies !!!

Marie-Ève,
ma meilleure amie

Africa

Catherine P.

Catherine F.

Jade

Audrey

Mon meilleur ami...

Karim

Mon ennemie publique n° 1

Gigi Foster

Notre prof !

Julien Gauthier

« Quel bazar ! s'est exclamée
maman en entrant dans ma
chambre. Demain, c'est la rentrée,
Alice. Alors, tu vas faire
un bon ménage.
Pas ce soir ni la semaine
prochaine, maintenant ! »

En soupirant, j'ai commencé
à ranger le fouillis accumulé
pendant les vacances.
Au milieu d'une pile de bandes
dessinées des Zarchinuls,
je suis tombée sur les deux cahiers
qu'oncle Alex m'a offerts
pour mes dix ans.

« Je sais que tu aimes bien écrire
et que tu as beaucoup

d'imagination », m'avait-il dit.
L'un des cahiers a une couverture
d'un rose merveilleux.
L'autre aussi est très beau
avec sa couverture verte.
Ça m'a donné une idée.
Je vais commencer
un journal intime.

Bon, ma chambre est en ordre
(ou presque…). J'ai déjà pris
ma douche. Mon sac d'école
est prêt. J'ai donc le temps
d'inaugurer le cahier rose.

Sur la couverture puis au milieu
de la première page, j'ai écrit
de ma plus belle écriture :

Le journal d'Alice

Tome 1 ★ PREMIÈRE PARTIE

Et sur la deuxième page :

Mercredi 27 août

Par où commencer?

Pourquoi pas par maman?

Ma mère vient de loin,
de l'autre côté de l'océan.

✳ Elle est belge.

✳ Elle s'appelle Astrid Vermeulen.

✳ Elle est **très jolie**, très gentille
et très distraite.

✳ Elle travaille comme diététiste.

✳ Elle aime l'homme de sa vie,
comme elle appelle papa, ses filles,
les épinards, le pain de blé entier
et surtout… le soya.

Ça c'est une véritable obsession!
Le lait de soya à la vanille.
La mousse de soya aux fraises.
Sans compter le tofu, une matière

10

caoutchouteuse à base de SOYA.
BEURK! Elle essaie régulièrement
de nous en refiler.

Mon père, Marc Aubry, est
québécois. Il travaille au centre-ville
de Montréal dans une société qui
vend des téléphones cellulaires aux
entreprises. **IL DÉTESTE LE SOYA.**
Et il raffole du chocolat! Caroline
et moi aussi, d'ailleurs!

Caroline, c'est ma sœur.
Elle a sept ans. Ou plutôt sept ans,
trois mois et dix-neuf jours, comme
elle le préciserait… Elle est parfois
carrément **casse-pieds**, mais aussi
très spontanée et **rigolote**.

Avec elle, on s'ennuie rarement.
Quand elle était petite, elle exigeait
qu'on l'appelle **Caroline Carotte**!
Pourtant, elle n'est pas rousse
mais blonde. Mes cheveux à moi
sont presque noirs, comme ceux
de mon père. En parlant de mes
cheveux, c'est le drame de ma vie!
Ils sont raides et informes. Et je n'en
ai vraiment pas beaucoup. Pourtant,
papa possède une sacrée tignasse.
Quant à maman, ses cheveux blonds
sont magnifiques.

Je n'ai malheureusement pas hérité
de leurs gènes capillaires, du moins
en ce qui concerne le volume
de mes cheveux… Pour en revenir

à Caro, elle est vraiment difficile
à table. Elle ajoute du ketchup
sur tout. Ce qui, bien entendu,
désespère notre diététiste de mère!

Notre famille est sur le point
de s'agrandir. Maman a passé
une échographie. *On va avoir
un petit frère*! Il doit naître dans
une dizaine de jours. On a déjà
choisi son nom: **zachary**.
Le mois dernier, Caroline a dû céder
sa chambre au bébé. Je me suis donc
retrouvée avec ma sœur dans
la mienne...
*Elle a emménagé
avec sa tribu de cochons
en peluche au grand complet.*

Caroline se couche tous les soirs
à 8 heures. À 8 h 01, elle dort déjà
profondément. La lumière de
ma lampe de bureau ou de ma lampe
de chevet ne la dérange pas du tout.
Heureusement, parce que moi,
je ne me couche pas avant 9 heures.

Grand-Cœur aussi fait partie
de notre famille. C'est mon chat.
Je l'ai trouvé dans la rue, il y a
deux ans. Ce n'était qu'une petite
boule de poils noirs, poussiéreux
et emmêlés, avec de grands yeux
effrayés. Réfugié sous notre voiture,
il miaulait à fendre l'âme. Mon cœur
n'a pas résisté. Je suis parvenue à
convaincre mes parents de l'adopter.

Enfin, à persuader maman, parce que
papa, lui, a tout de suite été d'accord.
Lorsque j'ai d'abord annoncé
à ma sœur que je comptais nommer
le chaton p'tit-♥, elle a pouffé
de rire.

— Plus tard, quand il sera un gros
matou, ça aura l'air franchement
niaiseux de l'appeler p'tit-♥ !

MOI, JE NE TROUVAIS PAS.
Mais bon, je n'avais pas envie que ma sœur
se moque de mon chat. Alors,
finalement, je l'ai baptisé Grand-♥.
Aujourd'hui, c'est un superbe chat
au poil lisse et brillant.

Les parents de mon père habitent à la campagne, près de la frontière américaine. *J'adore aller là-bas !* Ils ont trois fils : Étienne, Marc et Alex. **Marc, c'est mon papa.** Son plus jeune frère, mon oncle Alex, est photographe. Il voyage partout dans le monde. Son frère aîné, oncle Étienne, vit avec tante Sophie et mes cousins Olivier et Félix à Port-au-Persil, en Charlevoix. Comme c'est très loin, on n'a pas l'occasion de les voir souvent. La famille de ma mère, on la voit encore moins. Mamie, tante Maude, ma cousine Lulu et mon cousin Quentin vivent en Belgique. Mais cet été, Mamie est venue

passer un mois chez nous. Papi, lui,
est mort d'un cancer quand j'étais
petite. Je ne m'en souviens pas
beaucoup. Du papa de mes cousins
non plus, d'ailleurs. Lui et ma tante
sont séparés depuis longtemps.

Nous, on habite à Montréal,
au 42, rue Isidore-Bottine. Un peu
plus loin, au n° 54, il y a monsieur
et madame Baldini. Les cheveux gris
de Rosa Baldini ont des reflets
un peu mauves. Ses rides dessinent
des rayons de soleil autour de
ses yeux quand elle sourit. Devant
sa maison, il y a un parterre rempli
de nains de jardin. Ils ont de bonnes
joues rouges et un grand sourire

comme elle. Quand Caroline et moi
on était petites, on allait les saluer.
Madame Baldini, ça ne la dérangeait
jamais qu'on marche sur son terrain.
Au contraire ! Chaque fois qu'elle
nous apercevait par la fenêtre,
elle accourait et nous offrait
des biscotti aux amandes.
Ce sont des biscuits italiens qu'elle
prépare elle-même. Ses petits-fils
habitent à Toronto, et elle ne les voit
que deux ou trois fois par an. C'est
peut-être pour ça qu'elle est toujours
si heureuse de nous voir, Caro et
moi.

Ma meilleure amie
s'appelle Marie-Ève.

Elle a de beaux cheveux châtains légèrement ondulés. Je ne l'ai pas vue depuis mon anniversaire, le 15 août. Je suis bien contente de la retrouver demain ! Je fais un vœu pour que, cette année encore, on soit dans la même classe.

Mon ennemie publique numéro 1, c'est **GIGI FOSTER**, la plus grande de la classe. **Quelle nuisance, cette fille !** Elle passe son temps à nous espionner. Elle n'a aucun sens de l'humour. Et en plus, elle savoure, à chaque récréation, sa tablette de chocolat ou ses chips barbecue. Bien entendu,

gigi foster
GRRR...

elle ne les partage jamais. Par malchance, on a toujours été dans la même classe. Je formule donc un second vœu : que **GIGI FOSTER** se retrouve dans l'autre classe de 5e. Ce serait déjà bien assez de devoir la supporter à la récréation…

Je me demande qui on aura comme enseignante, cette année : madame Robinson ou madame Pescador ? Madame Robinson a l'air plutôt sévère quand on la croise dans les couloirs. Pourvu que ce soit madame Pescador ! Elle est très gentille, et il paraît qu'elle ne donne pas trop de devoirs. C'est mon troisième vœu.

Jeudi 28 août

Ce matin, Marie-Ève m'attendait
au fond de la cour de récréation, sous
l'unique érable de l'école des Érables.
C'est notre lieu habituel de
rendez-vous.

– Bonjour, Alice ! m'a-t-elle dit en
m'embrassant. J'ai adoré mon camp
d'équitation, mais j'avais très hâte
de te revoir.

– Et moi alors ! ai-je répondu. Oh,
regarde ! Monsieur Rivet commence
à accrocher les listes d'élèves des
différentes classes sur le mur. Allons
voir !

Monsieur Rivet, c'est le directeur
de notre école.

– Bonjour, les filles, a-t-il dit. Vous avez grandi pendant les vacances ! Regardez, j'ai déjà affiché les classes de 6e et de 5e année.

5e A : Classe de madame Robinson.
Le ♥ battant, j'ai parcouru la liste des noms. Ni le mien ni celui de Marie-Ève ne s'y trouvaient. On est toutes les deux en 5e B !

– **YÉÉÉÉÉÉ ! ! !** avons-nous crié en même temps.

Mon vœu s'est réalisé !

Enfin, mon premier vœu, parce que pour le second, **horreur absolue**, c'est raté !
GIGI FOSTER SE TROUVE ELLE AUSSI EN 5^E B.

– Salut, Alice! Tu as vu? On est dans la même classe!

Je me suis retournée.

– Oh, Karim! Bonjour! Oui, c'est vraiment cool. Tu as passé de bonnes vacances au Liban?

Karim est très sympathique. Il ne rit jamais de moi quand je rate le ballon au cours d'éducation physique ou quand madame Fattal, la prof d'anglais, fait une remarque désobligeante sur mon accent. Et en plus, il partage ses bonnes collations.

C'est super aussi de retrouver nos copines Africa, les deux Catherine, Audrey et la petite Jade. Par contre, je t'avoue, cher journal, que j'aurais préféré que Patrick soit dans l'autre classe. Il se moque souvent des filles et fait des blagues pas subtiles. Jonathan, qui remue tout le temps, et Bohumil, le génie en maths, se trouvent aussi avec nous.

– Alice, on n'a pas madame Pescador ! s'est exclamée Marie-Ève d'un AIR CATASTROPHÉ. Viens voir, c'est indiqué ici : *Classe de monsieur Gauthier.*

La cloche a sonné. Un homme jeune, très très **grand** et super **costaud** s'est approché de nous. Un géant blond-roux avec des yeux bleu clair, vêtu d'un jeans

et d'une chemise orange à manches
courtes.

– Bonjour, vous êtes les 5ᵉ B ?
a demandé ce colosse. Je m'appelle
Julien Gauthier. Je suis votre
enseignant.

– On dirait un **ogre**, a chuchoté
Marie-Ève en montant l'escalier.

Elle avait l'air franchement
déçue de ne pas être dans
la classe de madame Pescador
Mais cette année, celle-ci
enseignera aux 6ᵉ A.

En classe, l'enseignant a distribué
un petit carton à chacun de nous.
Il fallait y inscrire son nom et venir
le glisser dans un sac en tissu rouge.

—Je vais vous attribuer vos places, a-t-il annoncé.

Quand tous nos noms se sont retrouvés dans le sac, il l'a secoué puis a commencé à les sortir deux par deux. Moi qui voulais bien sûr m'installer avec Marie-Ève, me voilà à côté d'Eduardo, l'ami de Patrick… Au moins, je ne suis pas avec Gigi !

Marie-Ève, elle, a comme voisine une nouvelle élève nommée Éléonore Marquis. Elle est grande et mince avec de longs cheveux châtains tout lisses. J'aimerais avoir une chevelure comme elle ! L'autre nouveau s'appelle Simon Hétu-Ouelette. Il est blond avec des lunettes.

Monsieur Gauthier nous a demandé
de nous présenter, en mentionnant
trois caractéristiques personnelles.
J'ai raconté que :
* Je rêve de faire le tour du monde
comme mon oncle Alex.
* J'adore le chocolat à la menthe.
* J'ai une PEUR BLEUE des araignées.

– À mon tour, a déclaré monsieur
Gauthier. Je viens de la Gaspésie,
une région superbe à l'est du
Québec. Vous êtes la première classe
à qui j'ai l'honneur d'enseigner. Et
je suis passionné par les planètes, les
étoiles, les galaxies, bref, par l'espace.
  Notre professeur a sorti un coffret
doré d'un grand sac. Il l'a longuement

poli avec un chiffon, jusqu'à le faire étinceler. On l'observait en silence.

— Vous vous demandez ce qu'il y a dedans? a-t-il dit en l'ouvrant.

Le coffre était vide. Un **«Ohhh...»** **de déception** s'est élevé dans la classe.

— C'est à vous de le remplir, a fait monsieur Gauthier en déposant le coffre par terre, à côté de son bureau. Lorsque l'un de vous sera pris en **flagrant délit** de bon comportement, je lui remettrai un galet.

— Une galette? a demandé Catherine Provencher, qui a toujours faim.

— Non, un galet, a répété notre enseignant en souriant. Les galets sont des cailloux qu'on trouve

au fond des rivières et parfois
sur leurs rives.

— Qu'est-ce que vous voulez qu'on
fasse d'un caillou? a bougonné
Patrick en levant les yeux au ciel.
On n'est pas des bébés !

Imperturbable, monsieur Gauthier
a répondu :
— L'élève qui aura mérité un galet ira
le déposer dans le coffre aux trésors.
Et dès que celui-ci sera plein, toute
la classe bénéficiera d'un privilège.
— Quel genre de privilège?
a demandé Marie-Ève, soudain
très intéressée.
— Ça peut être, par exemple, de
profiter d'une heure d'activité libre

ou d'une période de devinettes,
a dit monsieur Gauthier. Ou encore
d'assister à un petit spectacle de *magie*.
— Des tours de magie! s'est exclamée
Africa, les yeux brillants. Vous allez
faire venir un prestidigitateur en
classe, monsieur?
— Le prestidigitateur, c'est moi, nous
a-t-il annoncé. La magie compte en
effet parmi mes passe-temps favoris.
Comme devoir pour demain,
les amis, je vous propose de réfléchir
à la question des privilèges. Vous me
remettrez vos suggestions par écrit.

Finalement, *il a l'air cool*,
notre enseignant! Et il est aussi
souriant que madame Pescador.

On ne peut pas en dire autant de madame Fattal, la prof d'anglais ! On l'a eue en deuxième heure. Petite et **rondelette**, avec des cheveux noirs IMPECCABLEMENT coiffés, c'est l'enseignante la plus sévère de l'école des Érables. Elle est arrivée en classe en boitant. Bizarre… Malgré ça, elle est comme d'habitude perchée sur ses chaussures pointues à talons aiguilles. Elle en possède toute une collection.

– Vous avez mal à la jambe ? lui a demandé Jonathan.

– C'est impoli de se mêler de ce qui ne te regarde pas, a répliqué madame Fattal d'un ton sec.

Toujours aussi aimable…

En s'avançant vers le bureau,
elle a trébuché sur le coffret doré.
– **Aïe!** s'est-elle écriée. Qui a laissé
traîner cette boîte ici?
– C'est le coffre aux trésors de
monsieur Gauthier, lui ai-je répondu.
– Un *coffre aux trésors* en
classe? s'est étonnée madame Fattal.
Il se prend pour un pirate, ce nouvel
enseignant? Et à quoi sert-il,
ce coffre? À y classer des verbes
irréguliers? Ou des photos
d'animaux en voie de disparition?
– Oh non! On y déposera les cailloux
qu'on aura gagnés grâce à notre bon
comportement, a expliqué Gigi
Foster. Et quand le coffre sera plein,
on recevra une récompense.

– Des cailloux! s'est étouffée
madame Fattal. *Des récompenses!*
Ma parole, il se croit en maternelle,
ce monsieur euh…?
– MONSIEUR GAUTHIER!
a-t-on fait en chœur.

– Bon, passons aux choses sérieuses!
a-t-elle déclaré. Ouvrez votre agenda
en page 3.
 **Pitié… Pas encore la lecture
des premières pages de l'agenda!**

  Madame Fattal est une véritable
maniaque du code de vie. Elle connaît
les règlements de l'école par cœur
et ne tolère pas le moindre écart
de conduite.

À chaque rentrée, elle commence
son cours en faisant lire un article
à haute voix par chacun des élèves.
C'est à mourir d'ennui.
– « Article 1… » : Karim,
tu commences.

Puis, ça a été au tour de Jade et
de Catherine Frontenac. Pendant
que Bohumil lisait l'article 4 sur la
tenue vestimentaire, *j'ai étouffé
un bâillement*. À l'article 12,
je bâillais tellement que j'en avais
les larmes aux yeux. Madame Fattal
a interrompu Simon, le nouveau
à lunettes.
– Alice a eu deux mois de vacances
pour se reposer, a-t-elle dit.

Et pourtant, je constate qu'elle semble trop fatiguée pour réviser le code de vie avec nous.

Elle m'a **fusillée du regard** et a lâché :

— Pour te rafraîchir la mémoire, ma fille, tu le recopieras intégralement. Et tu me le remettras jeudi prochain.

C'est pas vrai! Moi qui avais pris la résolution, cette année, d'essayer de me faire oublier de madame Fattal, eh bien, **c'est raté**! Elle ne m'aime pas parce que je ne suis pas bonne en anglais, que je suis distraite et bavarde. J'ai dû lire l'article 23 selon lequel il est interdit de mâcher de la gomme à l'école. Passionnant…

Après la lecture du 26ᵉ et dernier article, madame Fattal a déclaré :

— Racontez-moi votre été. *In English, of course.* Audrey, tu commences ?

Audrey, c'est **LA CHOUCHOU** de madame Fattal. Pas étonnant qu'elle soit si bonne en anglais ; elle le parle à la maison avec ses parents.

Ensuite, Eduardo et Marie-Ève ont dû s'exprimer à leur tour. Éléonore a levé la main.

— *Yes ?* a dit madame Fattal.

Elle a demandé en anglais si elle pouvait elle aussi faire le récit de ses vacances.

— Bon, d'accord, mais dépêche-toi, a fait notre enseignante. Il ne reste que deux minutes.

La nouvelle élève avait passé
un séjour à New York. Même si
je ne comprenais pas grand-chose
d'autre à ce qu'elle disait, je me
rendais compte qu'elle s'exprimait
très bien en anglais.

— *Excellent !* s'est exclamée la prof
au moment où la cloche de la récré
a sonné.

— *Thank you, Mrs Fattal,* a répondu
Éléonore en se tortillant sur sa chaise.

Le sourire fendu jusqu'aux oreilles,
elle avait du mal à cacher sa fierté.

— Tu as vu comme cette fille m'a
regardée ? m'a demandé Marie-Ève
en sortant de la classe.

– Éléonore ? Non, je n'ai pas fait attention.

– Elle m'a toisée d'un air supérieur. Non mais, pour qui elle se prend, celle-là !

– Pour une future chouchou de madame Fattal, peut-être ? ai-je suggéré en prenant un air comique.

Et on a toutes les deux éclaté de rire.

Après le dîner, elle et moi, on s'est réfugiées à l'ombre de notre érable. Assises contre le tronc, on a discuté de la question des privilèges.

– Qu'est-ce que je pourrais bien proposer ? s'est demandée mon amie.

– Réfléchis, ai-je répondu. Il y a certainement quelque chose que tu aimerais ?

– Oui, tu as raison. Inviter en classe un spécialiste des **CHEVAUX** qui nous apprendrait des tas de choses sur **MON ANIMAL PRÉFÉRÉ**.

– Bonne idée. Moi aussi, j'en ai une. Déguster en classe un chocolat chaud garni de crème fouettée et de guimauves miniatures !

– Tu rêves à un chocolat chaud ?! s'est exclamée Marie-Ève. Moi, par cette chaleur, je préférerais de loin un grand verre de Citrobulles bien frais ! Ou une crème glacée. Tiens, c'est une bonne idée de privilège, ça.

– **Je pensais à l'hiver**, ai-je expliqué.
Quand il fait un **froid polaire**
et qu'on revient complètement
frigorifiés de la récréation.
Un bon chocolat chaud,
ce serait agréable, non ?

Ma meilleure amie n'avait pas l'air
convaincue.

– Mais comment veux-tu que
notre enseignant fasse chauffer du lait
en classe ?

– Écoute, Marie-Ève, il nous a
demandé des idées ; alors qu'il se
débrouille pour les réaliser ! ai-je
répondu. Surtout qu'il affirme avoir
des talents de *magicien* ! Et j'ai encore
autre chose à lui proposer : pouvoir

tout simplement choisir à côté de qui on s'assied en classe.

– Parce que, bien sûr, tu as une **folle envie** d'être la voisine de Gigi pendant toute l'année scolaire!

s'est esclaffée Marie-Ève.

– On ne peut rien te cacher, lui ai-je répondu en levant les yeux au ciel.

Comment as-tu deviné mon rêve le plus cher?

Vendredi 29 août

Ce matin, notre enseignant a ramassé les feuilles avec nos idées de privilèges.

– Monsieur, vous nous les lisez? ai-je demandé, tout excitée.

– Non, Alice, a-t-il répondu avec
un beau sourire. Ces privilèges doiven
rester des surprises ! Vous les
découvrirez chaque fois que
le coffre débordera de galets.
Et maintenant, levez-vous, les amis !

On s'est tous regardés avec un air
étonné et, à part Éléonore et la petite
Jade, on est restés assis.
– Allez, approchez, a insisté monsieur
Gauthier.

Alors on s'est tous levés en même
temps en faisant **un sacré boucan**
avec nos chaises. Puis, on s'est pressés
comme un troupeau de moutons
autour de son bureau.

– Regardez, nous a-t-il demandé
en désignant le fond de la classe,
ce mur, quand vous êtes assis,
vous lui tournez le dos. Mais moi, je
le vois toute la journée. Ces vieilles
affiches décolorées me donnent
le cafard. **Il faut mettre des couleurs
dans cette classe !** Et si on la
redécorait ? Lundi, vous apporterez
une affiche ou une photo de votre
héroïne ou héros préféré.

– Mon héros à moi, c'est **Batman** !
s'est exclamé Jonathan.
– Moi, j'admire **Einstein**, a déclaré
Bohumil.
– C'est qui, lui ? a demandé Jonathan.
Un chanteur punk ?

– Mais non, c'est un grand savant, a répondu Simon, le nouveau.

– C'est **Jamie Oliver** mon idole! a affirmé à son tour Catherine Provencher. À la maison, on a toute la collection de ses émissions de cuisine sur DVD. Mon père et moi, on fait régulièrement ses recettes.

– Et moi, c'est Chantal Petitclerc, a annoncé Africa. Quelle athlète formidable!

– Tu as raison, Africa, elle est impressionnante, a affirmé monsieur Gauthier. Bon, vous voyez, ce sera très varié!

– Vous aussi, vous allez apporter une affiche de votre héros? ai-je suggéré.

– Bonne idée, Alice! C'est promis.

– Tu choisis qui, toi, comme héros ?
ai-je demandé à Marie-Ève à la
récréation.

– **Les Tonic Boys**, évidemment !
a-t-elle répondu. Et justement, ça
tombe bien ! Dans le numéro de
septembre du magazine *MégaStar*
qui est arrivé hier chez nous, il y a
un super poster de **Tom Thomas**
et de ses musiciens sur scène.

– Moi aussi, c'est mon groupe
préféré, ai-je décrété. Mais je n'ai pas
d'affiche d'eux.

– Aucun problème, a répondu
mon amie. Je t'en dénicherai une.
Demain, j'irai feuilleter les anciens
numéros dans la salle d'attente
du salon de beauté.

En effet, la mère de Marie-Ève est esthéticienne. Et la famille habite dans un appartement juste au-dessus de son institut de beauté.

Samedi 30 août

Cet après-midi, j'écoutais mon disque des **Tonic Boys** quand maman a surgi dans ma chambre :

– Viens Alice, on part chez le coiffeur !

– Comment ça, chez le coiffeur ? ai-je demandé, surprise.

– Il faut absolument rafraîchir ta coupe de cheveux, a-t-elle affirmé. Tu te rappelles ? Je t'en avais parlé au début de la semaine, mais finalement, on n'a pas eu le temps d'y aller.

– On va chez ta coiffeuse ?

– Non, j'ai encore beaucoup de choses à faire cet après-midi. Allons plutôt chez Tony, le coiffeur qui s'est installé au coin de la rue.

– *Mais c'est un coiffeur pour hommes ! ai-je protesté.*

– Oh, pour hommes et pour enfants, a répondu maman en haussant les épaules. Allez, dépêche-toi, on y va !

Monsieur Tony nous a accueillies dans son minuscule salon de coiffure. Son sourire dévoilait des dents étincelantes. Ça m'a fait **froid** dans le dos. On aurait dit qu'il n'allait faire qu'une bouchée de moi. Ou plutôt de mes cheveux. J'avais envie de m'enfuir. J'ai remarqué deux affiches au mur. On y voyait des hommes avec des cheveux peignés sur le côté et qui brillaient, comme ceux, justement, de monsieur Tony.

Je les ai montrées à maman en chuchotant :

— Regarde ! Je ne suis pas un homme. Je suis une fille !

Avant que ma mère ait eu le temps de me répondre, le coiffeur m'a désigné l'unique fauteuil de son salon et m'a enveloppée dans une blouse trois fois trop grande pour moi.

Maman, la lâche, a lancé :

– J'en profite pour passer à l'épicerie.
Je reviens dans une dizaine
de minutes.

Je l'ai fusillée du regard mais ça
n'a servi à rien. Elle était déjà partie.
Les ciseaux ont crissé désagréablement
près de mes oreilles.

– *Pas trop court, s'il vous plaît !
ai-je supplié.* Il faut juste les égaliser.

– N'aie crainte, ma petite *signorina*!
a répondu monsieur Tony.

Mais oui, j'avais peur!

– Redresse-toi, sinon je risque de
couper de travers, a-t-il averti.

Il ne manquerait plus que ça!

Je suis donc restée immobile
comme une statue, les yeux fermés
et osant à peine respirer.

Au bout d'un moment qui m'a semblé interminable, le coiffeur a lancé d'un ton enthousiaste :

— Et voilà ! *Bellissima !*

J'ai ouvert les yeux. Quand je me suis aperçue dans le miroir, **j'ai failli crier !** Cette coupe sagement arrondie, **c'était l'horreur absolue !** La clochette de la porte d'entrée a carillonné. Maman était de retour.

— Bien, une coupe à la page, ça fait net pour la rentrée, a commenté brièvement cette **traîtresse** en sortant son portefeuille.

Deux minutes plus tard, nous étions dans la rue.

– Allez, Biquette, ne fais pas cette tête-là, a dit maman.

Mais moi, je ne voulais plus lui adresser la parole.

En arrivant à la maison, j'ai filé dans ma chambre. **Je me suis jetée sur mon lit et j'ai pleuré, pleuré.** Avec mes cheveux qui poussent à la vitesse supersonique d'un millimètre tous les six mois, ça allait me prendre une éternité pour les ravoir aux épaules! **Grand-Cœur** m'a rejointe. De sa langue râpeuse, il a léché les torrents d'eau salée qui coulaient sur mes joues. Au bout d'un moment, je suis allée me regarder dans le miroir de la salle

de bain. Avec cette coupe et
mes yeux bouffis par les larmes,
je n'avais jamais été aussi laide !

Quand je suis revenue dans
ma chambre, Caroline était là.
Elle s'est écriée :
— Mais c'est affreux, cette coiffure !
Tu ressembles à un bébé lala !
Je me suis à nouveau précipitée
sur mon lit. Plongeant ma tête dans
l'oreiller, j'ai sangloté de plus belle
— Ma pauvre ! a compati ma sœur.

Après un silence, elle a ajouté :
— Pleure plus, je peux t'arranger ça.
— Ah oui, et comment ? ai-je articulé
entre deux hoquets.

– Sur la table de chevet de maman,
il y a un magazine avec des
coiffures mode pour la rentrée.
– Mais ce sont des coiffures de dames !
ai-je rétorqué.
– Et alors ? C'est toujours mieux
qu'**une coupe hamburger**,
a déclaré Caro sans ménagement.
– C'est quoi, une coupe hamburger ?
– C'est une coupe de p'tit gars.
La moitié des garçons de ma classe
ont une coupe hamburger.
La tienne, elle est juste un peu plus
longue.

Ma sœur, elle a l'art de retourner
le couteau dans la plaie. Mais au moins,
on sait toujours ce qu'elle pense.

– Et qui me couperait les cheveux ?
lui ai-je demandé en reniflant.

– Moi.

– Toi ? !

– Ben oui, moi ! a-t-elle répondu
d'un ton pas très patient. Tu as vu
mes Barbie ? Elles sont toujours bien
coiffées. Pour apprendre, je me suis
exercée sur la ciboulette du jardin.

Et sans me laisser le temps d'ajouter
quoi que ce soit, Caroline est sortie
en trombe de notre chambre.
Trois secondes plus tard, elle était de
retour.

– Et voilà ! a-t-elle dit en brandissant
le magazine si près de mes yeux que
j'en louchais presque.

À la page 72, le titre annonçait :

Pour la rentrée, changez de tête !

– Cette coiffure-ci n'est pas mal,
a décrété ma sœur.
– Oui, mais ça prend des boucles,
et… regarde mes cheveux… Ils sont
raides comme des spaghettis !

Elle a levé les yeux au ciel et
a continué de feuilleter le magazine.
– Celle-là est cool ! me suis-je
exclamée devant une adolescente
avec une coiffure aux mèches courtes
et légèrement ébouriffées.

Caro est allée chercher les ciseaux
de cuisine et deux serviettes de

toilette. Moi, j'ai caressé mon cher Grand-♥ qui, rassuré, ronronnait de satisfaction.

Quand ma sœur est revenue dans la chambre, j'ai relevé la tête. L'objectif de l'appareil photo numérique de nos parents était braqué sur moi !

— **NOOON ! ai-je crié. Tu es folle ou quoi ?!**

— Ne t'énerve pas, a dit Caro. Je vais t'expliquer. Je voulais simplement prendre deux photos. La première avec ta vilaine coiffure et la deuxième, après, une fois que j'aurai arrangé tes cheveux. On voit souvent ça à la télé. Le contraste entre *AVANT* et *APRÈS* est toujours drôle !

– Je refuse! ai-je déclaré net en jetant un regard noir à ma sœur. Il n'est pas question que je me laisse photographier dans cet état! Et je t'assure que ce qui m'arrive n'a rien de drôle!

Sans un mot, Caroline a déposé l'appareil photo sur mon bureau. Puis, elle a placé une serviette sur mon lit et m'a demandé de m'asseoir dessus. L'autre, elle l'a attachée autour de mon cou.

– **Coupe droit, surtout!** lui ai-je demandé.

– Même si je dévie un peu, c'est pas bien grave avec ce style de coiffure.

Après tout, ça ne pouvait pas être pire que ce que m'avait fait monsieur

Tony. Tout plutôt que de débarquer lundi à l'école avec cette tête-là !

— Va te regarder dans le miroir, a fait Caroline au bout de quelques minutes. Qu'est-ce que tu en penses ?

Sans être **horrible**, il faut avouer que ça aurait pu être mieux ! *Le résultat ne ressemblait pas du tout à la photo du magazine...* Mais pour ne pas faire de peine à ma sœur, je lui ai dit, d'une petite voix :

— Elle est pas mal du tout, ta coupe, Caro. Merci, c'est vraiment gentil.

— Bon, je peux te photographier maintenant ? a-t-elle demandé.

— Pfff...

– Allez, Alice ! S'il te plaît !

– Bon, d'accord.

Je me suis forcée à sourire même
si le cœur n'y était vraiment pas.
Tout à coup, je me suis demandée
ce que maman allait dire. Justement,
la voilà qui arrivait…

– Tout va bien ici ? a-t-elle demandé.

Puis, ses yeux se sont agrandis de
stupéfaction et elle s'est exclamée :

– C'est quoi, tous ces cheveux sur
cette serviette ? Caroline Aubry,
qu'est-ce que tu as fait ? Et toi, Alice,
comment as-tu pu laisser ta sœur
commettre une bêtise pareille ?
Tu as perdu la tête ?

– Caroline m'a consolée ! me suis-je
écriée. De toute façon, sa coiffure est

bien moins moche que celle
de monsieur Tony ! Je n'irai plus
jamais de ma vie chez lui !

J'ai recommencé à sangloter.
– *Ça suffit !* a coupé maman d'un
ton sec. Et moi qui étais pressée…
Viens, Alice. Je t'emmène chez
Cindy pour tenter de réparer les
dégâts ! Oh, déjà 16 h 48 ! J'espère
qu'elle sera encore là !

La jolie coiffeuse de maman,
qui a des cheveux blond platine,
plein d'anneaux à l'oreille gauche
et un *piercing dans le nombril,*
s'apprêtait à partir quand on s'est
stationnées devant son salon.
J'ai bondi hors de l'auto. Il faut

croire que j'étais un cas d'urgence, car, même s'il était 17 heures passées, Cindy a accepté de me coiffer. Elle n'a même pas ri en me voyant. Au contraire, elle a affirmé que ma sœur avait un réel talent de coiffeuse.
Elle m'a fait une coupe courte mais très mode, avec du gel. **Une vraie coiffure d'ado!** Pour une fois, cher journal, mes cheveux ne sont plus **raplapla**! Pourvu que ça dure. Mais ça, c'est une autre histoire…

Ma sœur était en admiration devant moi.
— Oh! Alice, tu es tellement belle comme ça! s'est-elle exclamée.
Je peux prendre une autre photo?

Cette fois, je lui ai fait mon plus beau sourire. Puis, papa l'a appelée :
– Caroline, tu viens m'aider à préparer la pâte à crêpes ?

Moi, j'ai pris l'appareil pour regarder les photos et je me suis assise sur mon lit. **Horreur absolue!** Avant ce cliché-là et le précédent, j'en ai découvert un autre de moi, en gros plan, avec la **coupe hamburger** de monsieur Tony ! Incrédule, je fixais, sur le petit écran de l'appareil photo, mon visage cramoisi, mes yeux exorbités et ma bouche déformée qui braillait : «**NOOON!**» Caro allait m'entendre ! Au moment où je me levais pour

aller lui dire ce que j'en pensais, moi,
des traîtresses qui photographient
leur sœur sans leur permission, je n'ai
pu m'empêcher de **pouffer de rire**.
Il faut avouer que, sur cette photo,
j'avais vraiment **une tête pas possible**!

J'ai réalisé que Caroline, surprise
par ma réaction virulente, avait
peut-être tout simplement sursauté
et appuyé sur le bouton sans s'en
apercevoir. Alors, au lieu de courir
à la cuisine pour la chicaner, je me
suis plutôt précipitée dans le bureau
de mes parents. Et j'ai imprimé
les trois photos ainsi qu'une autre
que maman avait prise de moi le jour
de la rentrée.

Je m'apprête donc à les coller ici, dans mon cahier rose. Ainsi, grâce à ma sœur, *j'aurai des souvenirs de cet après-midi mémorable !*

Lundi 1er septembre

Quand ma meilleure amie m'a retrouvée sous l'érable, elle est restée bouche bée :

— WOW ! Alice, tes cheveux sont tellement cool !

— Merci, Marie-Ève ! J'avoue que je suis très contente du résultat final. Mais je t'assure que ça n'a pas été sans peine, ai-je dit en extirpant mon cahier rose de mon sac d'école. Regarde !

Je l'ai ouvert à la page des photos. Devant son air ahuri, je lui ai raconté mes mésaventures capillaires.

— Oh là là ! Tu es trop drôle avec la coupe de ce coiffeur !

s'est-elle exclamée. Je comprends

que tu étais désespérée! Et ta tête
après que ta sœur a essayé d'arranger
ta coupe…. C'est si comique, ça
aussi! Hi hi hi hi hi!

Hi hi hi hi hi ! À mon tour, j'ai été
prise d'un terrible fou rire. Chaque
fois qu'on regardait les photos, ça
repartait de plus belle! **HA HA HA!
HOU HOU HOU!** Marie-Ève riait
tellement qu'elle en pleurait! Et moi
qui avais soudain une urgente envie
de pipi, *je me tortillais comme
un ver en hoquetant.*

– Oh! Alice la p'tite maigrichonne
s'est fait prendre en photo! a lancé
une voix moqueuse derrière nous.
ELLE SE PREND POUR UNE VEDETTE!

 GIGI FOSTER! GRRR!

J'ai fait volte-face.

— D'abord, je ne suis ni petite ni maigrichonne, ai-je riposté, furieuse. Je suis normale. Et puis, ces photos, ce n'était pas à toi que je les montrais! Alors, arrête de nous espionner!

L'air satisfait comme chaque fois qu'elle nous embête, Gigi Foster s'est éloignée en sifflotant.

— **QUELLE PESTE!** ai-je lâché en serrant les poings.

Soudain, j'ai réalisé le **DANGER** que je courais en apportant mon journal intime à l'école. Et si je l'égarais… Et si un prof ou le directeur le trouvait… Et si **GIGI**

FOSTER s'en emparait… Je me suis juré d'y faire hyper attention toute la journée. Et dorénavant, de le laisser toujours en sécurité dans ma chambre. Car ce cahier contient des **propos à haut risque** non seulement sur G. F., mais aussi sur madame Fattal…

Un attroupement s'est formé autour de nous. Toutes mes copines m'ont fait des compliments sur mes cheveux. Karim aussi d'ailleurs. Puis, changeant de sujet, Marie-Ève a déclaré :

– Alice, je n'ai pas oublié ton affiche des **Tonic Boys**.

– Ah, super ! Je la mettrai dans ma chambre. Car pour le mur de

la classe, j'ai pensé à quelqu'un
d'autre comme héros.

– Oh, et c'est qui ? a-t-elle demandé.

– **Alex Aubry**, mon oncle.

– Ton oncle ?!

Là, Marie-Ève semblait
franchement déçue. Elle a repris :

– Comment ça, ton oncle ?

– Son métier est passionnant.
Il s'intéresse à tous les peuples
de la terre et les fait connaître grâce
à ses belles photos.

– Mais il n'est pas célèbre…

– Pas autant que les **Tonic Boys**,
bien sûr. Mais un peu quand même,
ai-je expliqué. Ses photos sont
publiées dans plusieurs magazines.
Et le mois dernier, *son reportage*

sur la Turquie a paru dans le *National Geographic.*

Il faut dire que ce n'est pas du tout le genre de revues auxquelles la mère de Marie-Ève est abonnée pour la salle d'attente de son **salon de beauté**...

— Et tu as une photo de ton « héros » ? a demandé Marie-Ève, d'un air pas très convaincu.

— Oui, regarde !

J'ai sorti une grande photo où mon oncle, assis par terre et entouré d'une ribambelle d'enfants, compte sur ses doigts. J'ai expliqué à mon amie que les enfants lui apprenaient à compter en vietnamien. *Mon oncle, il sait compter jusqu'à 10 dans plein de langues différentes !*

En classe, on a enlevé ce qui couvrait le mur du fond : la liste des mots qui se terminent en *ou* et prennent un *x* au pluriel, une affiche sur l'importance de bien se laver les mains et une autre sur **la transformatic d'un têtard en grenouille**. On est allés porter ces vieilleries dans le bac de recyclage. Et monsieur Gauthier a frotté énergiquement le mur.

Gigi Foster a été la première à coller son affiche. On y voyait un grand joueur de basketball qui marquait un but.

— **LeBron James!** s'est écrié Jonathan, si fort que j'ai sursauté.

Et il s'est mis à dribbler un ballon
imaginaire.

—Je suis d'accord avec vous, les amis,
a renchéri notre enseignant. **LeBron
James**, c'est le meilleur! Avec
Magic Johnson et Michael Jordan,
bien sûr, mais ils appartiennent
à la génération précédente.

Il est peut-être super connu,
le héros de Gigi Foster, mais moi
je n'en ai jamais entendu parler.
*Il faut dire que pour lancer ou
attraper un ballon, cher journal,
je suis nulle !*
Et ce n'est certainement pas moi
qui regarderais un match de basket
à la télé !

En plus du poster géant que Marie-Ève a apporté, il y en a trois autres de notre groupe préféré.
Pas étonnant : le beau Tom Thomas, le chanteur de **Tonic Boys**, est le chéri des filles de la classe !

Monsieur Gauthier a déclaré que le mur était beaucoup plus chouette comme ça. Puis, à son tour, il a déroulé une affiche.

– Vous le connaissez ? a-t-il demandé devant l'image de l'homme qui brandissait une baguette d'où jaillissait une pluie d'étincelles multicolores.

– C'est David Copperfield !
a déclaré Africa. J'ai vu son spectacle
de magie à la télévision !
– Je rêve de suivre un stage avec lui,
nous a confié notre enseignant.
Et maintenant, retournons
à notre place. Je vais voir si vous êtes
des champions des multiplications.
Oups ! Heureusement qu'il ne m'a
pas interrogée… Et comme je n'étais
pas la seule à avoir oublié mes tables
pendant les vacances, il nous a
demandé de les revoir pour mercredi.

Mercredi 3 septembre

Ce matin, notre enseignant a sorti
un nom du sac rouge.

– Gigi, tu nous récites la table de 7,
s'il te plaît ?

Jusqu'à 7 x 3, ça a été, mais après,
Gigi Foster a commencé à dire
n'importe quoi. Alors monsieur
Gauthier a de nouveau glissé
son **énorme** main dans le sac.
– Alice, tu la connais, toi, la table
de 7 ?

*Je suis devenue rouge comme
une tomate.* D'accord, je les ai
revues hier, mes tables. Mais si j'avais
à nouveau tout oublié ? J'ai commencé
et, par chance, les réponses coulaient
toutes seules, comme une rivière
de chiffres.

– **Bravo, Alice !** s'est exclamé
monsieur Gauthier. **Tu es notre**

championne des tables! Puisque tu es la première à ne faire aucune faute, tu seras aussi la première à recevoir un galet.

Il a fouillé dans son sac. Puis, il s'est avancé vers moi avec un grand sourire et a ouvert sa main. Un caillou arrondi et lisse s'y trouvait. Ce qui était incroyable, c'est qu'il était peint en turquoise! Comment mon enseignant avait-il deviné que c'était *ma couleur préférée*? Il faut dire qu'il affirme être un *magicien*. Émerveillée, je suis allée déposer le galet qui brillait comme s'il était verni dans le *coffre aux trésors*.

Si j'ai eu la chance d'inaugurer ce coffret doré, c'est bien parce que monsieur Gauthier m'a interrogée *avant* et non *après* Bohumil. Car lorsqu'il lui a demandé la table de 9, notre génie en maths a débité les réponses à toute allure. Et bien entendu, tout était exact. *Ses tables, je suis sûre qu'il les connaît par cœur depuis la maternelle !*

Le mercredi après-midi, on a de l'éducation physique. Notre prof, Kim Duval, est **super cool**. L'an dernier, ses cheveux étaient vert fluo. Cette année, elle a deux petites tresses **bleu électrique**. Son seul défaut : elle adore les jeux de ballon…

– Pour bien commencer l'année,
on va jouer au basketball! a-t-elle
d'ailleurs annoncé.

«**Horreur absolue**, ai-je pensé.
Ça ne va pas recommencer…»

En effet, pour moi, les parties de
basketball, de volleyball ou de ballon
chasseur sont un **véritable cauchemar!**

*Je me sens comme un pauvre
petit lapin sans défense le jour
de l'ouverture de la chasse.*

Dès qu'une balle arrive dans
ma direction, je l'évite dans l'espoir
qu'un autre de mon équipe, plus
doué que moi, parviendra à l'attraper.

Mais cette fois, ça a été pire que jamais. J'ai eu le malheur de me retrouver sur la trajectoire du ballon lancé par Gigi Foster. Je ne me suis pas baissée assez vite. Résultat : ce BOULET DE CANON m'a frappée en plein front !
Le choc a été si violent que je suis tombée, à moitié sonnée.

Madame Duval m'a aidée à me relever. Comme j'étais étourdie, elle m'a fait asseoir sur le banc.
— Tu as une fameuse bosse, a-t-elle constaté. Je vais chercher de la glace.
Karim a dit à Gigi Foster :
— Tu pourrais quand même t'excuser !

— Elle n'avait qu'à attraper la balle !
a répondu cette idiote en haussant
les épaules.

— On sait bien, elle, elle ne rate
jamais un ballon ! ai-je ronchonné
tout bas.

Madame Duval est revenue
avec un sac de glace enveloppé dans
une serviette.

— Tiens-le sur ton front, Alice. Bon,
ça va un peu mieux ?

— Pas vraiment, ai-je répondu.

— Tu vas te reposer sur le banc.

*Je me suis ennuyée à mourir
en regardant les autres jouer...*
Mais c'était quand même mieux
que de me retrouver au milieu de
la mêlée à risquer ma vie !

Jeudi 4 septembre

Aujourd'hui, il faisait encore très beau, comme en plein été. Cependant, quelques feuilles de notre érable ont commencé à changer de couleur.
Je guettais avec impatience l'arrivée de ma meilleure amie. Dès que je l'ai vue, je me suis précipitée à sa rencontre.

– Coucou Marie-Ève ! ai-je lancé tout excitée. On n'avait pas de devoirs hier soir. Alors, j'ai regardé un concert des **Tonic Boys** à la télé. Je t'ai téléphoné pour te prévenir, mais il n'y avait personne.
– Mes parents se sont disputés, a fait mon amie en soupirant. Maman m'a emmenée manger à la pizzeria.

Au fait, Alice, tu dis que tu n'avais
rien à faire. Tu avais déjà fini
de recopier les cinq pages du code
de vie pour madame Fattal?

Horreur absolue!

La punition de l'enseignante
d'anglais m'était complètement
sortie de la tête!

– Ne me dis pas que tu as oublié?
s'est inquiétée Marie-Ève.

– Ben oui! ai-je avoué.

– **Oh, non, Alice, c'est pas vrai!** Déjà que
madame Fattal ne t'apprécie pas
beaucoup… Susceptible comme
elle est au sujet du code de vie,
elle est capable de te **COLLER
UN ZÉRO**! Écoute, il reste vingt
minutes avant de monter en classe.

Si tu te dépêches, tu peux peut-être
y arriver à temps.

Ma meilleure amie avait raison :
je n'avais pas une seconde à perdre.
J'ai sorti de mon sac le cahier
de brouillon, l'agenda et un crayon.
Assise contre le tronc de l'arbre,
j'ai posé mon cahier sur mes genoux.
J'ai écrit : *Code de vie de l'école
des Écoles.* Oh non ! Ça
commençait mal ! J'ai arraché
la première page et j'ai recommencé :
*Code de vie de l'école des
Érables. Article 1 : L'élève doit
en tout temps...*

Gigi Foster nous tournait autour.
Pas évident de me concentrer avec

elle dans les parages! **Zut!** J'avais écrit *Article 3* au lieu d'*Article 4* alors que j'avais déjà recopié l'article 3!

— Je n'y arriverai jamais, me suis-je lamentée. **J'abandonne!**

— **Pas question!** a répliqué Marie-Ève.

J'en étais à l'article 9 quand la cloche a sonné. Mon amie m'a gentiment encouragée:

— C'est déjà mieux que rien, Alice!

Même si la leçon de notre enseignant sur les oiseaux migrateurs était passionnante, j'avais du mal à suivre ce qu'il disait. *J'étais plutôt obnubilée par une idée fixe*: pourvu que madame Fattal arrive en retard.

Ça me donnerait le temps de continuer à recopier ce satané code. Mais à l'instant où monsieur Gauthier s'apprêtait à quitter la classe, TIC-TIC-TIC-TIC-TIC, le cliquetis des talons de notre enseignante d'anglais a résonné dans le couloir... Zut, c'était raté...

En entrant, madame Fattal a dit :
— Ouvrez votre livre à la première leçon. Marie-Ève, veux-tu nous lire les trois premiers paragraphes de l'histoire ?
— Oui, madame.

Et elle a commencé à lire.
— *Good,* a commenté brièvement madame Fattal quand mon amie a eu fini. Éléonore, tu continues.

Deux minutes plus tard, notre prof
s'est exclamée d'un air ravi :
– *Very good Éléonore ! Your accent
is perfect !* Ça mérite 10 sur 10 !

La nouvelle élève s'est redressée,
triomphante. Moi, j'ai pensé :
Bienvenue dans le club des chouchous ! »

À mesure que l'heure d'anglais
avançait, je me disais que, par chance,
madame Fattal avait peut-être oublié
ma punition. Ou bien allait-elle
me la réclamer à la fin du cours ?

Quand la cloche de la récréation
a sonné, elle a ouvert son sac pour
y ranger ses affaires. Moi, je me suis
faufilée discrètement vers la sortie.

C'est alors que Gigi Foster
m'a demandé à voix haute :
— Et le code de vie, Alice, tu l'as déjà
remis à madame Fattal ?
OH, NON ! C'est pas vrai…
Pourvu que notre enseignante n'ait
pas entendu. Mais elle s'est aussitôt
tournée vers moi.
— Gigi a raison, a-t-elle dit.
Apporte-moi tout de suite
ta punition, Alice !

La mort dans l'âme, je suis allée
chercher mon cahier de brouillon.
Au moment où j'allais le tendre
à madame Fattal, un **joyeux**
chœur s'est mis à chanter à l'entrée
de la classe :

– Bonne fête, Pétula,
bonne fête, Pétula...

J'ai sursauté. Le directeur, monsieur Gauthier et toutes les enseignantes de l'école ont envahi notre classe. Monsieur Rivet tenait deux bouteilles de jus de fruits pétillant dans ses mains. Monsieur Gauthier portait, lui, un plateau plein de verres, et madame Robinson, un gâteau garni d'un million de bougies allumées.

– Allez-y, Pétula, soufflez! a-t-elle demandé à sa collègue.

Moi, bien sûr, j'en ai profité pour filer.

Les enseignants étaient arrivés
juste à temps! Une seconde plus tard,
madame Fattal aurait saisi mon cahier...
Et comme elle ne badine pas avec
le **CODE DE L'ÉCOLE**, elle m'aurait sans
doute infligé une punition plus
sévère. J'étais soulagée mais aussi
furieuse. **Gigi Foster
m'avait dénoncée!** Et ça,
c'est vraiment dégoûtant!

Plus tard dans la journée,
alors qu'on sortait de
la cafétéria, j'ai annoncé sans
enthousiasme à Marie-Ève:
— Bon, je vais continuer
à recopier le code de vie…
J'avais une demi-heure devant moi.

– **J'ai une idée !** s'est-elle
exclamée. Je te dicte la suite.
Comme ça, tu gagneras du temps.

Bref, grâce à ma meilleure amie,
j'ai terminé juste avant que la cloche
sonne. Ma tête était pleine de *Il est
interdit de…*
J'ai dû me retenir pour ne pas faire
plusieurs fois le tour de la cour au pas
de course en criant : **IL EST
INTERDIT D'INTERDIRE !**

Dans l'escalier, je me suis trouvée
nez à nez avec la prof d'anglais
qui descendait.
– Ah, Alice Aubry ! Vas-tu enfin me
remettre ta punition ?

Je lui ai tendu mon cahier de
brouillon comme si de rien n'était.
Elle l'a feuilleté.
– Tu aurais pu faire un effort
pour écrire plus proprement ! a-t-elle
dit sèchement en me rendant
mon cahier.

Pfff... elle n'est jamais contente,
celle-là ! Mais, quand même, *je l'ai
échappé belle...* Je serais devenue
complètement dingue si j'avais dû
tout recommencer !

Dimanche 7 septembre

C'est aujourd'hui que Zachary,
notre bébé chéri, doit naître. Enfin,
en théorie. Car lui ne semble pas

au courant. Toute la journée, Caroline a attendu en vain le départ pour l'hôpital.

– Tu es sûre que tu n'as pas de contractions ? a-t-elle demandé à maman.

– Absolument certaine, a répondu cette dernière.

Après le souper, maman, pour se reposer, s'est étendue sur le sofa et a fermé les yeux. Moi, je me suis assise à côté d'elle et je lui ai caressé doucement le front et les cheveux. Trente secondes plus tard, Caroline a fait irruption dans le salon. Elle s'est installée à genoux devant nous et a fait :

– *Toc toc toc!* en cognant sur
le ventre de maman avec son index
replié, comme si c'était une porte.
Dis, tu es là, Zachary ?

Puis, avec un *air réjoui*, elle a
déclaré à maman :

– Ça y est ! J'ai senti une contraction !

– Mais non, Ciboulette, c'est tout
simplement ton petit frère qui gigote
parce qu'il est content de t'entendre.

Caroline s'est énervée.

– **J'en ai marre de l'attendre,
ce bébé!** Tu nous avais dit qu'il
arriverait le 7 septembre ! a-t-elle
reproché à la pauvre maman.

– Autour du 7 septembre, a rectifié
moumou, d'une voix lasse. On ne
peut jamais être sûr de la date.

J'ai fait une proposition à ma sœur, histoire de lui changer les idées :
— Écoute, Caro, comme maman n'est pas en train d'accoucher, pourquoi on n'en profiterait pas pour regarder un film tous les quatre, bien tranquilles ?
— D'accord, a-t-elle dit. Je vais chercher le DVD des *101 dalmatiens*.

J'aurais de loin préféré le film d'Hannah Montana. Ça fait très longtemps que je ne l'ai pas vu. Mais au moins, ce n'est pas *Babe* !
D'accord, il n'y a pas plus mignon que ce petit cochon.
Je l'adorais moi aussi, ce film, au début. Mais comme, avec Caro,

on l'a déjà vu un million de fois,
je n'en peux plus…

On s'est installés dans le grand lit
des parents. Papa a inséré le DVD dans
le lecteur. Un peu plus tard, on en
était au passage où **CRUELLA**,
l'atroce amie d'Anita, traitait
d'affreux petits rats les bébés
dalmatiens qui n'avaient pas encore
de taches sur leur pelage blanc. J'ai
soudain senti un coup qui provenait
du ventre de maman. C'était
Zachary qui faisait son **jogging** !
– Salut, petit frère ! On va se voir
bientôt !

Je lui ai fait un câlin à travers
le ventre de maman. Il est venu

se blottir sous ma main. Papa a arrêté le film et en a profité pour lui parler, lui aussi :

— Bonne nuit, fiston ! Dis, je t'attends avec impatience, tu sais ! Tu vas renforcer les troupes masculines de la famille Aubry. Parce qu'avec toutes ces femmes ici, il y a des jours où je me sens vraiment en minorité ! Tu verras, on va former une belle équipe tous les deux.

Maman a ri de bon cœur. Caro et moi, on s'est jetées sur papa et on l'a chatouillé «à mort» ! **En hurlant de rire**, il a demandé grâce. Maman aussi d'ailleurs, parce qu'elle avait peur de recevoir un coup de coude ou de genou dans le ventre.

Mardi 9 septembre

Aujourd'hui, maman est venue nous chercher à pied à l'école. La prof d'anglais est passée devant nous. Maman l'a saluée :

— Bonjour, madame Fattal. Vous avez passé un *bel été* ?

— Non, vraiment pas, a répondu madame Fattal. J'ai été opérée au genou.

Elle a légèrement soulevé sa jupe pour montrer son genou à ma mère. Il était traversé par une énorme cicatrice rouge et boursouflée.

— *Mais quelle odeur !* s'est exclamée maman.

J'étais stupéfaite. **Offusquée**, madame Fattal a laissé retomber sa jupe.

— Voyons, madame !

— Je suis désolée, s'est excusée maman d'un air penaud. J'étais distraite. Je voulais plutôt dire : « Quelle horreur ! »

Horreur absolue !

Ma mère, au lieu de rattraper sa gaffe, s'enfonçait encore davantage !

Si les yeux de madame Fattal avaient été des mitraillettes, Astrid Vermeulen serait **tombée raide morte, trouée de partout.**

Très embêtée, maman a tenté de s'expliquer :

– J'ai dit : « Quelle horreur ! »,
madame Fattal, parce que je compatis
avec vous. Cette opération a dû être
extrêmement douloureuse !
A-t-elle définitivement réglé
votre problème de genou ? Ou bien
vous fait-il encore souffrir ?

Mais l'enseignante ne l'écoutait
plus. Elle s'est éloignée en boitant.

– *Eh bien toi, on ne peut pas dire
que tu m'aides !* ai-je reproché à
maman. Déjà que madame Fattal ne
m'aime pas…

Ma mère avait un air si piteux que
j'ai eu pitié d'elle. Je n'ai pas insisté.
*De toute façon, madame Fattal
est détestable.* **C'est** bien **fait**

pour elle! Et puis, maman n'a pas
fait exprès de la vexer. Son ventre
énorme la fatigue beaucoup,
surtout avec les grosses chaleurs de
ces derniers jours. « *Allez, Zachary,
il est vraiment temps que tu naisses!* »

Jeudi 11 septembre

En arrivant en classe, madame Fattal
a buté contre le coffre aux trésors,
qui a résonné d'un écho métallique.
– Encore cette stupide boîte!
s'est-elle exclamée en massant
son pied. Elle est toujours dans
le chemin!

Aïe, ça commençait mal...

De mon côté, j'espérais de tout

cœur qu'elle ne se souviendrait pas de ce que maman avait dit à propos de son genou. J'espérais même, carrément, qu'elle ne se souviendrait pas que madame Vermeulen était ma mère...

Madame Fattal a annoncé :
— Voyons si vous avez bien étudié votre leçon.

Je me suis recroquevillée sur ma chaise.

— Alice Aubry, on va commencer par toi ! a-t-elle déclaré en plongeant ses yeux noirs dans les miens.

J'ai senti mon sang se glacer dans mes veines. Pour les deux premières questions, je m'en suis assez bien tirée. Mais par la suite, ça s'est gâté.

Madame Fattal s'est écriée :

— Avec un 2 sur 10, tu commences plutôt mal ton année, ma fille ! **Si tu n'étudies pas, attends-toi à un échec retentissant !**

J'ai protesté faiblement :

— Mais j'ai étudié, mad…

— **TARATATA !** m'a-t-elle interrompue. Ne raconte pas de mensonges ! Quant à ton accent, on ne peut pas dire qu'il se soit amélioré pendant les vacances…

Patrick a pouffé de rire. L'enseignante a fait semblant de ne pas l'entendre. Elle a pris un air satisfait. On aurait dit qu'elle savourait sa vengeance. **C'est trop injuste!**

— **Quelle peste, celle-là!**
a chuchoté Marie-Ève alors qu'on sortait de la classe. Elle porte bien son nom. Elle est vraiment fatale!
— Je dirais même plus : c'est une véritable **CRUELLA**! ai-je murmuré à son oreille.
— **CRUELLA!** Alice, tu es géniale! Ce surnom lui va à merveille!
— Chuuut, pas si fort! ai-je murmuré en posant un doigt sur mes lèvres.

En effet, **GIGI FOSTER** se trouvait dans les parages…

Vendredi 12 septembre

Toujours pas de Zachary… Cet après-midi, maman avait rendez-vous chez le médecin. Si son fils ne se décide pas à venir au monde, elle devra se présenter à l'hôpital mardi prochain à 8 heures du matin.

On provoquera l'accouchement avec un médicament. Oh, comme j'aimerais déjà être ce jour-là !

Caroline et moi, on accompagnera nos parents à l'hôpital. On n'assistera pas à la naissance. Maman n'y tient pas. Moi non plus, d'ailleurs !

Mais, dès que notre petit frère aura pointé le bout de son nez, papa viendra nous chercher dans le petit salon au bout du couloir.

Samedi 13 septembre

Ce soir, en sortant de la salle de bain, j'ai trouvé ma sœur en pyjama à plat ventre sur son lit. Elle semblait absorbée par sa lecture. Et ce qu'elle lisait avec tant d'intérêt, c'était… mon cahier rose ! **Horreur absolue !**

Je le lui ai arraché des mains.
— **Aïe, tu m'as griffée !** a crié Caroline. Tu es folle ou quoi ?
— Je ne l'ai pas fait exprès, mais de toute façon, tu l'as bien mérité ! ai-je rétorqué. **Comment oses-tu lire mon journal intime ?**
Tu n'es pas gênée ! Est-ce que je fouille dans ta table de chevet, moi ? J'ai été obligée de t'accepter dans

ma chambre, mais au moins,
je m'attendais à ce que tu respectes
mes affaires !

— Je viens à peine de commencer
à lire, a expliqué ma sœur. Je voulais
simplement savoir ce que tu écris
dans ce cahier.

— Ça ne te regarde pas ! Oh ! À cause
de toi, la couverture est pliée !
— **C'est pas ma faute !** a protesté
Caro. Fallait pas tirer dessus comme
une sauvage. Si tu me l'avais demandé,
je te l'aurais rendu, ton cahier.

— Écoute-moi bien ! Si tu y touches
encore une seule fois, **JE NE TE
FERAI PLUS JAMAIS CONFIANCE !**

Ma sœur m'a jeté un regard furieux.

– Ton bête journal, **pfff**, si tu crois que ça m'intéresse ! a-t-elle ronchonné en levant les yeux au ciel.

Elle a fourré ses cochons en peluche dans son lit. Puis, elle les a rejoints et s'est tournée vers le mur. Que mademoiselle boude ; ça m'est égal. Au moins, les choses sont claires !

Dimanche 14 septembre

Il m'est venu une idée. Je vais tester la loyauté de ma sœur.

Je laisserai traîner mon journal intime sur ma table de chevet. Je viens de saupoudrer sa couverture d'une très fine couche de farine.

C'est quasiment invisible sauf si on examine le cahier de très près. Je n'y toucherai donc pas pendant plusieurs jours. En l'inspectant chaque soir, je saurais si Caroline Aubry est digne de confiance. *J'en aurai le cœur net.* Si je découvre la moindre trace de doigts sur la couverture, cela signifiera que ma sœur m'a trahie!

Lundi 15 septembre

Après le souper, j'ai vérifié si la fine couche de farine était intacte. Pas du tout! Les traces de doigts étaient bien visibles! Je la tenais, la coupable!

J'ai crié:

— **Caroliiine!**

– Oui? a-t-elle répondu en accourant.

J'ai brandi mon cahier.

– Comme ça, tu avais promis de ne plus jamais y toucher? **Menteuse!** Tu as lu mon journal intime en cachette!

Ma sœur a eu l'air surprise.

Puis, elle s'est transformée en furie.

– Tu m'énerves à la fin! Quand je promets, je promets. JE N'Y AI PAS RETOUCHÉ, À TON FICHU CAHIER! D'ailleurs, si ça continue, je vais le jeter à la poubelle!

– Si tu oses faire une chose pareille, moi, ce sont **tes stupides cochons** que je balancerai aux vidanges! ai-je hurlé, hors de moi.

Caro m'a donné un coup de pied dans le tibia.

– **AÏE !**

J'ai contre-attaqué en lui tirant les cheveux.

– **Ouille !**

Maman, précédée de son énorme ventre, a fait irruption dans la chambre.

– Ça suffit, les filles !

– C'est Caroline ! ai-je protesté. Elle lit mon journal intime en cachette et en plus, elle m'a menti, **la peste** !

– Peste toi-même ! a riposté ma sœur. D'ailleurs, c'est toi qui mens !

Maman, l'air las, s'est assise sur mon lit. Elle m'a dit :

— Alice, avant d'accuser quelqu'un,
il faut des preuves. En possèdes-tu ?

— Oui, j'ai la preuve qu'on a touché
à mon cahier ! ai-je affirmé.

— Mais bien entendu, Alice, qu'on a
touché à ton cahier ! s'est-elle
exclamée. Sauf que ce n'est pas
Caroline, c'est moi.

Je n'en revenais pas !

Si ma mère, en qui j'ai toujours eu
la plus totale confiance, se mettait
à lire mon journal intime, il ne me
restait plus qu'à déménager !

— J'ai tout simplement soulevé
ton cahier pour épousseter ta table
de chevet, a-t-elle expliqué.

Maintenant, tu vas présenter
des excuses à ta sœur!

Après avoir marmonné un vague
« 'cuse », je me suis installée
à mon bureau pour rédiger
ma composition de français.
Le thème : « *Votre famille idéale* ».
*J'ai expliqué que si j'avais pu
choisir, j'aurais été enfant
unique !* Avec une chambre pour
moi toute seule, comme mon amie
Marie-Ève. Et des parents beaucoup
plus *cool* ! Cependant, à mesure
que j'écrivais, ma colère retombait.
Finalement, Caro ne m'a pas trompée.
C'est ça l'important. Et puis, c'est
bête de se disputer. Car non
seulement je ne suis pas enfant

unique, mais demain, en plus, on va avoir un petit frère.

Quand Caroline s'est couchée, je me suis assise sur son lit.
– **VA-T'EN!** a-t-elle crié.
Tu écrases Nouf-Nouf!
– Écoute, Caro, j'étais furieuse parce que je croyais que tu m'avais menti.
Je te demande pardon.

Après un silence, ma sœur a déclaré:
– OK, je veux bien te pardonner.
Mais je voudrais que tu me dises comment tu as su qu'on avait touché à ton cahier?

Je lui ai confié mon truc. Et finalement, on s'est réconciliées.

Mardi 16 septembre

Il est 13 h 08, et je ne suis pas à l'école. Papa et moi, on est rentrés de l'hôpital il y a une demi-heure. On vient de dévorer un restant de macaroni au fromage.

Mon père a dit qu'il allait faire une sieste. Moi, je ferais bien la même chose parce que je suis très fatiguée. Mais mon lit attendra à ce soir. En effet, cher journal, je brûle d'envie de te raconter tout ce qui s'est passé.

Donc, ce matin, j'étais en train de rêver que je nageais parmi les dauphins dans une mer turquoise quand mon père m'a secoué l'épaule.

Mon rêve s'est aussitôt fracassé en mille morceaux.

– Quoi, que, qu'est-ce qu'il y a? ai-je balbutié.

Le réveil indiquait 6 h 07.

Papa a dit :

– Zachary s'est enfin décidé à venir au monde !
Maman s'habille. Dès que Caroline et toi serez prêtes, nous partirons à l'hôpital.

Comme c'était excitant! Je me suis levée d'un bond. Papa a tenté de réveiller ma sœur. Elle a marmonné des paroles incompréhensibles, puis s'est rendormie profondément au milieu de ses cochons en peluche. Papa n'a pas eu le cœur d'insister.

Il a téléphoné à madame Baldini.
Quelques minutes plus tard, elle était là.
— *Mamma mia,* c'est le grand jour !
s'est-elle exclamée en m'embrassant.

Elle n'avait visiblement pas pris
le temps de se coiffer, mais elle
semblait très fière de participer à
l'événement.
— Bonne chance ! nous a-t-elle
souhaité. J'irai conduire Caroline
à l'école après un bon déjeuner.

On est sortis dans le petit matin gris
et humide. Une vraie journée
d'automne, aujourd'hui. J'ai frissonné.
De froid mais aussi de fatigue.
On a embarqué dans notre vieille
auto. Sur le pas de la porte, madame

Baldini nous faisait de **grands** signes de la main.

On roulait depuis cinq minutes quand maman a dit :

— Marc, les contractions s'accélèrent.

Papa a accéléré en conséquence. On s'est engagés sur l'autoroute Décarie. Quelques secondes plus tard, mon père a lâché **un gros mot**.

— Voyons, Marc ! s'est exclamée maman en le dévisageant d'un air choqué.

Il faut dire que ma mère est résolument allergique aux gros mots.

— Mais regarde, c'est bloqué ! a rétorqué papa, forcé de ralentir.

Je n'aurais jamais pensé que l'heure de pointe débutait si tôt!

Bref, on s'est retrouvés dans un **embouteillage monstre**. En cinq minutes, on n'avait avancé que de quelques mètres. J'étais inquiète. À ce rythme, on allait mettre une éternité pour se rendre à l'hôpital… Une fine pluie a commencé à tomber. Papa demandait à tout bout de champ à maman:

– Ça va, Astrid, ça va?

Elle avait beau répondre oui, moi qui me trouvais sur la banquette arrière, je comprenais à sa voix que ça n'allait pas fort.

Soudain, maman a déclaré:

— Je ressens l'envie de pousser.

— *Pousser !* s'est exclamé papa, comme s'il venait d'apercevoir un **extraterrestre** sur le capot de la voiture. Mais, Astrid, ce n'est vraiment pas le moment!

— Si tu crois qu'on choisit son moment! lui a-t-elle répondu. Je peux **difficilement** me retenir.

Mon père a demandé:

— Tu ne comptes tout de même pas accoucher dans l'auto? Ton fils nous a fait poireauter pendant neuf jours. Il peut bien patienter encore un peu, le temps que nous arrivions à l'hôpital!

— Comme tu peux te l'imaginer, Marc, je préférerais de loin

accoucher dans l'intimité
d'une chambre de naissance plutôt
qu'au beau milieu de la circulation !
a répliqué maman.

Bref, l'ambiance était **hyper
tendue**. La pluie, plus forte,
tambourinait à présent sur
la carrosserie, et les essuie-glaces
allaient et venaient dans un morne
ronron. J'enviais Caroline d'avoir pu
rester à la maison ! Papa s'est mis
à **klaxonner** nerveusement.
Ça ne servait à rien, bien entendu.
On avançait toujours à une allure
d'escargot. Le seul résultat de ce
vacarme était que les conducteurs
des autos voisines nous dévisageaient.

C'était vraiment gênant… Le voisin de droite a même fait un signe malpoli, comme pour signifier qu'on était **fous** !

Quelqu'un a frappé à la vitre de papa qui s'est empressé d'ouvrir. **C'était un policier.**

Il a demandé :

— Pensez-vous vraiment, monsieur, que ça va changer quelque chose de **klaxonner** ? Vous le voyez comme moi : nous sommes coincés !

— C'est ma femme ! a répondu papa.

— Eh oui, votre femme arrivera en retard au bureau, a-t-il rétorqué. Ce sera aussi le cas des milliers de gens bloqués ici. Elle va devoir prendre son mal en patience, votre femme! Quant à vous, donnez-moi vos papiers, s'il vous plaît. Je vais aller rédiger **la contravention** dans mon véhicule.

– Je ne conduis pas ma femme au bureau mais à l'hôpital! s'est écrié papa. Elle est en train d'accoucher. Le bébé sera là d'une minute à l'autre. S'il vous plaît, aidez-nous!

Le policier s'est penché. D'un coup d'œil, il a évalué la situation.

– Excusez-moi, a-t-il dit. Je ne pouvais pas deviner. Ma voiture se trouve quelques mètres derrière la vôtre. Je vais actionner la **sirène** et les **gyrophares**. Vous allez me suivre. À quel hôpital vous rendez-vous?

– À l'Hôpital Sainte-Justine,
a répondu papa.

Tout s'est précipité. Les autos
se sont écartées tant bien que mal.
La voiture de police nous a dépassés.
Papa a réussi à se frayer un chemin
derrière elle. En quelques minutes,
nous étions à l'hôpital. **Flouuu!**

Sous le porche, un préposé a aidé
maman à s'asseoir dans un fauteuil
roulant. Puis, il a foncé avec elle
à l'intérieur du bâtiment. Papa et
moi, on est allés stationner l'auto.
Ensuite, sous une pluie battante,
on a couru vers l'hôpital. On s'est
engouffrés dans l'ascenseur.

Au 4ᵉ étage, une infirmière
a demandé à mon père :
– Vous êtes le conjoint d'Astrid
Vermeulen ?
– Oui, a-t-il répondu.
– Suivez-moi.

Papa m'a lancé :
– Toi, tu restes ici ! Je viendrai
te chercher.

Un peu étourdie, je me suis laissée
tomber sur une des chaises alignées
le long du corridor. Mon ♡ battait
à tout rompre. Oh, pourvu que tout
se passe bien ! *Mes cheveux dégoulinaient,
et ma veste était trempée.* Je l'ai
enlevée. Heureusement, il faisait chaud.

Très vite, papa est réapparu.

– Viens, Alice ! Bébé est né !

Dans la chambre de naissance, maman, assise sur le lit, tenait le petit Zachary contre elle. Ils étaient recouverts d'une fine couverture. Impressionnée, je me suis approchée en silence. Mon petit frère était coiffé d'un bonnet. Ses yeux noirs étaient grands ouverts. Il dévorait maman du regard. Et elle, elle lui souriait et murmurait :

– Mon doux bébé, tu es là, enfin. Que je t'aime !

Zachary l'écoutait attentivement. On aurait dit qu'il était plein de sagesse. Je n'avais jamais rien vu de plus beau de ma vie. Je retenais mon souffle pour ne pas les déranger.

À un moment donné, je n'ai pu m'empêcher de m'exclamer :

– Oh, comme il est mignon !

C'est alors que papa m'a demandé :

– Et maintenant, Alice, devine la surprise.

Quoi, il y avait encore une surprise ? Comme si toutes ces émotions ne suffisaient pas…

Mon père a dit :

– Eh bien, regarde…

Et, tel un prestidigitateur, il a soulevé la couverture recouvrant le dernier héritier de la famille Aubry. Je me suis penchée vers

Zachary. INCROYABLE !
Ce n'était pas un petit garçon !
L'échographiste s'était trompé !

Bon, je dois te laisser, cher journal.
Papa vient d'arriver dans ma chambre.
Il est déjà 15 h 20. On part chercher
Caroline à l'école et on l'emmène
à l'hôpital, pour aller lui montrer
ce phénomène !

18 h 43. Ma sœur, enfin, celle qui a
sept ans, quatre mois et quelques
jours, était d'une humeur **massacrante**
– Vous auriez dû me réveiller ! nous
a-t-elle dit sur un ton de reproche.
J'aurais voulu venir, moi aussi,
ce matin !

Quand je lui ai fait deviner
la surprise, elle a retrouvé instantanément
sa bonne humeur et s'est exclamée :
– Mamie nous a envoyé des chocolats
de Belgique !
– Non, ai-je répondu. Cette surprise
concerne le bébé.

L'air un peu déçue, Caroline
a demandé :
– Ce sont des triplés ?
– Non ! s'est empressé de répondre
papa.
– Des jumeaux alors ?
– Non plus.
– C'est un petit frère noir ?
Il faut dire que Jimmy, l'amoureux
de Caro, est Haïtien.

– Mais alors, qu'est-ce qu'il a de spécial, ce bébé ? s'est énervée Caro.

C'est ainsi que je lui ai annoncé que notre petit frère était en fait une petite sœur. *Comme elle avait l'air incrédule, on a filé à l'hôpital pour lui prouver que c'était vrai.*

Lorsqu'elle a vu le bébé dans les bras de maman, la seule chose que Caroline a trouvé à dire, c'est :
– Pourquoi elle a des plaques rouges sur le front ? **C'est affreux !**
– Ces rougeurs sont dues à sa naissance, a expliqué maman d'un ton rassurant. Dans quelques jours, elles auront disparu.

Je crois que Caro en veut au bébé de ne pas être le petit frère qu'elle attendait. Et quand papa a déclaré que notre nouvelle petite sœur me ressemblait, elle s'est carrément mise à bouder. Bon, cher journal, je te laisse encore une fois. Papa nous appelle pour souper. Ensuite, on se plongera dans le livre *D'Abel à Zoé : mille prénoms pour votre enfant,* dans lequel on avait choisi le nom de Zachary. Il nous faut trouver d'**urgence** un autre prénom !

Mercredi 17 septembre

Ce matin, avant de nous conduire à l'école, papa a fait un crochet par l'hôpital. La chambre de maman était plongée dans la PÉNOMBRE. Caro a sauté sur son lit et l'a embrassée. Maman s'est réveillée.

— Ah, c'est vous, **mes chéris**, a-t-elle dit en clignant des yeux parce que papa ouvrait les rideaux.

Une infirmière est entrée. Avant de s'occuper de ma mère, elle s'est penchée sur le berceau où dormait Petite sœur.

— Quel superbe bébé ! s'est-elle extasiée.

Et elle a demandé :

— Comment l'avez-vous appelé ?

— Zachary ! a répondu fièrement maman.

Caroline, papa et moi, on l'a
dévisagée.

– Ah, je pensais que dans la chambre
4657, c'était une petite fille,
a dit l'infirmière, *confuse*. Excusez-moi,
je me suis trompée.

– Mais pas du tout, c'est bien
une petite fille, a répondu maman
en se redressant brusquement.
Et elle s'appelle… euh… euh…

– ZOÉ ! avons-nous crié en ♥ pour
lui venir en aide.

Chère, chère maman, elle est
si distraite… Mais là, tout de même,
elle exagère ! Car hier soir, on s'était
mis d'accord sur un prénom de fille
qui nous plaisait à tous les quatre.

En effet, après la douche, Caro, papa
et moi, on s'est assis en pyjama dans
le lit de mes parents. Papa m'a tendu
*D'Abel à Zoé : mille prénoms pour
votre enfant.*
— Tu commences par la lettre *A*?
m'a-t-il demandé.

En saisissant le livre, le *Zoé* du titre
m'a frappée.
— Zoé, c'est beau, vous ne trouvez pas?
— Oh oui, c'est très mignon!
a décrété ma sœur. En plus, ça
commence par un *Z,* comme
Zachary. On va appeler notre bébé
Zoé. Allez, papa, dis oui!
— Zoé, Zoé, a répété mécaniquement
notre père en se frottant le menton,

ce qui, chez lui, est signe d'intense réflexion. Ma foi, c'est un prénom **rigolo** et **dynamique** qui me plaît.

Caroline s'est mise à sauter sur le lit de mes parents en chantant à tue-tête :
– Zoé, Zoé, Zoé !
Et ce qui devait arriver arriva. Ma sœur s'est tordu la cheville et, comme toujours lorsqu'elle est trop fatiguée et **surexcitée**, elle s'est mise à brailler. Papa est allé la border.

Elle s'est endormie en reniflant, avec Nouf-Nouf, Naf-Naf, Nif-Nif, Tire-Bouchon, Betty et Cochonnet serrés contre son cœur.

J'ai téléphoné à maman. Oui, elle aussi aimait le prénom de Zoé. Il était donc adopté à l'unanimité !

Ah, une dernière nouvelle, cher journal. C'est demain que maman et Zoé rentrent de l'hôpital. J'ai bien hâte !

Jeudi 18 septembre

Et voilà, nous sommes cinq à la maison ! Ce soir, pendant que maman prenait sa douche et que papa faisait la vaisselle, j'ai bercé ma nouvelle petite sœur. Quoi qu'en dise Caroline, elle est jolie comme un ♡ !
Dans mes bras, notre mini-princesse dormait aussi paisiblement que

la Belle au bois dormant. J'ai
murmuré :

– Zoé, je suis très heureuse que tu sois
ma sœur. Je vais faire **trois vœux**
pour que tu aies une belle vie.

⭐ Le premier : échapper, comme
Caroline, au gène de la distraction
transmis par notre maman et dont
j'ai **malheureusement** hérité.

Zoé a esquissé un sourire dans
son sommeil. Émerveillée, j'ai
continué mon doux murmure :

– Comme ⭐**deuxième vœu**, je te
souhaite, plus tard, de ne jamais avoir
CRUELLA comme prof d'anglais !
Enfin, ⭐ mon **dernier vœu** : que
tu ne sois pas, comme moi, atteinte

d'insuffisance capillaire, mais qu'au contraire, tu aies de beaux cheveux!

Parce que, pour le moment, il faut avouer que c'est mal parti…

La « chevelure » de Zoé se résume à un duvet ultra-doux formé par une trentaine de poils microscopiques !

— Tu sais, ai-je ajouté, demain midi, grand-maman Francine et grand-papa Benoît vont venir te voir.

Ils resteront tout le week-end.

Tu verras, ils sont vraiment super!

Et puis, il y a mamie Juliette, à Bruxelles, loin loin d'ici. Elle est formidable, elle aussi. Je ne sais pas quand on va la revoir, mais en attendant, on lui enverra des photos de toi.

Cette fois, mon **bébé sœur**, qui dormait toujours comme un petit ange, a fait un grand sourire qui a dévoilé ses petites gencives sans dents. Elle est trop mignonne ! Je sens qu'on va bien s'entendre, toutes les deux !

Caroline a surgi à nos côtés.

— Tu as encore ce bébé dans les bras ! s'est-elle exclamée. Pourquoi tu ne le mets pas dans son lit ?

Le charme était rompu. Réveillée en sursaut, Zoé s'est mise à pleurer.

— **Oh !** ai-je soupiré, déçue. **Quel dommage !** Elle dormait si bien.

La prochaine fois, Caro, parle plus doucement !

– **Pfff...**, a-t-elle fait en levant les yeux au ciel.

J'avais beau essayer de consoler Zoé, ses pleurs s'étaient transformés en véritables **HURLEMENTS**.

D'en haut, maman a crié :

– Je suis sortie de la douche ! J'enfile mon peignoir et j'arrive !

ma petite sœur

Lundi 22 septembre

Gigi Foster est peut-être douée pour les jeux de ballon, mais on ne peut pas en dire autant pour la conjugaison! Dans son contrôle, elle a confondu tous les temps. Monsieur Gauthier, qui n'aime pas distribuer des **mauvaises notes**, était un peu **embêté**.

– Écoute Gigi, a-t-il dit, je ne te donne pas de points, cette fois-ci. Mais je voudrais que tu revoies à fond l'imparfait et le passé composé. Lundi prochain, je t'interrogerai pendant que les autres seront à la récréation et, cette fois, j'évaluerai tes progrès. Tes parents peuvent-ils t'aider à réviser?

– **Bof!** a-t-elle répondu.

Africa s'est levée.

– Si tu veux, Gigi, je pourrais te donner un coup de main pour apprendre les règles de conjugaison après l'école, a-t-elle proposé.

– Quelle bonne idée, Africa !
a approuvé monsieur Gauthier.
En attendant, pour ta générosité, tu mérites ceci.

Et il a sorti de son sac un galet jaune soleil.

Africa est allée le porter dans le coffre aux trésors qui se trouve maintenant au fond de la classe.

Car **CRUELLA** s'est plainte auprès du directeur… Celui-ci

a simplement suggéré à monsieur
Gauthier de déplacer son coffret
dans un coin où la prof d'anglais
ne risquera plus de trébucher dessus.

– Je ne parviens plus à fermer
le couvercle, a constaté Africa.
– Et tu sais ce qui arrive quand
le coffre est plein ? lui a demandé
monsieur Gauthier.
– Oui ! a-t-elle répondu. Un *spectacle*
de magie !
– Une autre fois, lui a promis
notre enseignant. Ce soir, il me reste
encore vos contrôles sur le mode
de vie traditionnel des Amérindiens
à corriger. Je n'aurai donc pas
le temps de vous préparer une séance

de magie. Le privilège de demain consistera plutôt, pendant la première période de cours, à se raconter des blagues. Préparez-vous, les amis! Et vous pouvez comptez sur moi! J'adore les bonnes blagues et j'en connais moi-même plusieurs!

Mardi 23 septembre

On s'est vraiment amusés! Patrick est assurément le champion des blagues.

C'est d'ailleurs de lui que provenait cette suggestion de privilège. Bohumil et Catherine Frontenac nous ont bien fait rire eux aussi. Mais quand notre enseignant a commencé à raconter ses blagues, alors là, on a hurlé de rire! C'est à peine si on a entendu les coups frappés à la porte.

— Entrez, a dit monsieur Gauthier.

C'était **CRUELLA**!

— Les élèves de 5ᵉ A essaient de se concentrer sur la leçon d'anglais, a-t-elle déclaré d'un air pincé. Ce qui est loin d'être évident avec l'atmosphère dissipée qui règne dans votre classe… Être enseignant, monsieur, c'est aussi savoir faire preuve d'AUTORITÉ!

— Je ne donnais pas de cours à mes élèves, madame, a expliqué

146

monsieur Gauthier. Je leur racontais
des blagues.

Interloquée, **CRUELLA** l'a dévisagé.
– Croyez-vous que c'est pour faire
des blagues qu'on vous paie?
a-t-elle demandé. Il ne faudrait
pas que le directeur apprenne
ça! Au moins, monsieur l'*amuseur*
public, ayez la politesse de ne pas
déranger le travail des autres élèves
qui, eux, ont un véritable enseignant!

Sur ce, elle a **claqué la porte**.
Nous, on était pétrifiés.
– Ne laissons pas madame Fattal
gâcher votre privilège, a dit monsieur
Gauthier d'un ton jovial. Allez,

les amis, on continue ! Je vous demande simplement d'être plus discrets.

Gigi Foster a raconté une blague **interminable**... Enfin, c'était censé être une blague mais je n'ai rien compris. Marie-Ève et moi, on s'est regardées. On a éclaté de rire, pas parce que c'était comique, mais parce qu'on ne voyait vraiment pas ce qu'il y avait de drôle !

Dimanche 28 septembre

Cet après-midi, maman était en train d'allaiter son **bébé** quand Caroline, assise à côté d'elle, a lancé :

– Maman, tu m'aimes plus que Zoé, n'est-ce pas ?

Elle semblait très confiante.
Elle devait penser que notre mère allait la rassurer en lui affirmant :
« C'est évident, ma Ciboulette ! »

Mais maman a répondu :
– Non, Caroline chérie, je ne t'aime pas plus que ta petite sœur, je t'aime autant qu'elle. Et autant qu'Alice.

Et bang ! La déception de ma sœur était évidente. Elle a quitté le salon sans dire un mot.

Je suis allée la rejoindre dans notre chambre. Assise sur son lit, elle serrait Nouf-Nouf, Naf-Naf et Nif-Nif dans ses bras. On aurait dit qu'elle se trouvait sur un radeau perdu au milieu de l'océan.

– Écoute, Caro, il faut que je t'explique, lui ai-je dit. Les mères ont un cœur élastique qui s'agrandit à mesure qu'elles font des bébés. Les pères aussi, d'ailleurs. C'est ce que maman m'avait raconté après ta naissance. Je m'en souviens encore.

Ma sœur a secoué la tête. Visiblement, elle n'y croyait pas à l'argument du ♥ élastique.

– Maman est injuste ! a-t-elle protesté. Zoé, ça ne fait même pas deux semaines qu'elle a débarqué dans notre vie. Tandis que moi, maman me connaît depuis **sept ans, quatre mois et vingt jours** !

– Tu sais, Caro, d'après ta théorie, maman, qui vit avec moi depuis plus de dix ans, devrait m'aimer davantage que toi, ai-je répondu. Si c'était vrai, tu trouverais ça très injuste également. Et tu aurais raison ! À quoi ça servirait d'avoir plus d'un enfant si on n'adorait que le premier et qu'il ne restait que des miettes d'amour pour les autres ?

– Hum, c'est vrai…, a soupiré ma sœur. Mais j'aurais trouvé normal que les parents m'aiment un peu plus que Zoé… Au début, au moins.

Elle a donné un *bisou sonore* sur le groin de chacun de ses cochons bien-aimés puis s'est levée d'un bond. En sautillant *joyeusement* autour de la chambre, elle s'est mise à chanter à **tue-tête** :

– Qui a peur du Grand Méchant Loup ? C'est pas nous, c'est pas nous ! Qui a peur du **Grand Méchant Loup** ? C'est pas nous du tout !

Mardi 30 septembre

Ce soir, papa est arrivé au moment où on se mettait à table.

– Oh, tu as été chez le coiffeur, Marc ! s'est exclamée maman. *Tu es tout beau comme ça, mon chéri !*

Ils se sont embrassés.

C'est vrai que ça lui va bien, à mon père, les cheveux courts. Il ressemble à son frère Alex, comme ça. En moins bronzé. Mais sa coupe n'était pas la même que d'habitude. Derrière, elle était un peu arrondie… Un doute s'est insinué dans mon esprit.

– Chez quel coiffeur as-tu été, papa? lui ai-je demandé.

– Celui au coin de la rue.

– Chez monsieur Tony?!

– Oui, c'est ça. Il m'a reçu tout de suite, sans rendez-vous. Et puis, un coiffeur pour hommes à deux minutes de la maison, c'est tellement pratique!

– Un coiffeur pour hommes…, ai-je répété en regardant maman.

*Je le savais bien que c'était
un coiffeur pour hommes !*

Jeudi 2 octobre

Cruella écrivait au tableau les mots
anglais qui désignent les parties
du corps humain. Je m'appliquais
à recopier *head, hair, shoulder, arm*
et *hand* quand un petit bruit sec
a éclaté devant moi. Intriguée, je me
suis penchée en avant. Et voilà
que ça a recommencé. **Horreur
absolue !** Patrick avait pété !
   Une odeur pestilentielle s'est
répandue autour de moi. Assise
dans l'autre rangée, Marie-Ève
m'a regardée. J'ai bouché mon nez

en faisant une grimace. Elle a froncé les sourcils pour demander ce qui n'allait pas. En désignant le dos de Patrick, j'ai articulé, sans émettre aucun son car **CRUELLA** a l'ouïe très fine :

— Patrick a pété.

Mais Marie-Ève ne comprenait toujours pas. Et avec son rhume, apparemment, elle ne sentait rien du tout, la chanceuse. Alors, sur un morceau de feuille de brouillon, j'ai écrit :

Patrick a pété ! Ça pue !!!

Je lui ai tendu mon message. Juste à cet instant, Cruella s'est retournée. **TIC-TIC-TIC-TIC-TIC,** elle a vite accouru vers nous. Tiens, tout à coup, elle ne boitait plus!

– Donne-moi ce billet! a-t-elle ordonné à mon amie.

Marie-Ève, qui l'avait fourré dans son cahier d'anglais, a bien été forcée de le lui remettre. **Cruella l'a lu en silence**.

– De mieux en mieux, Alice Aubry! s'est-elle exclamée d'un ton sarcastique. Je te colle un **ZÉRO**, ma fille! Ça t'apprendra à distraire tes amies en leur passant des messages stupides!

Zéro, voilà qui n'allait pas faire remonter mes notes d'anglais… Mais quand j'y pense, j'ai quand

même eu de la chance ! En effet,
cet inoffensif petit billet ne parlait
que des **pets** de Patrick. S'il avait
évoqué un sujet plus compromettant,
comme… Cruella, par exemple,
j'aurais eu de graves ennuis ! J'ai pris
la résolution de ne jamais envoyer
de message qui concerne la prof
d'anglais. Ce serait trop risqué.

*Je ne tiens pas
à être renvoyée de l'école !*

Vendredi 3 octobre

J'étais en train de verser des croquettes
de thon dans le bol de mon chat
quand papa est revenu de la réunion
des parents d'élèves.

– Ah, Alice, quel enseignant merveilleux tu as! s'est-il exclamé.

– Je te l'avais dit! Monsieur Gauthier est vraiment *cool*!

– Et quelle armoire à glace! a ajouté mon père, visiblement impressionné.

Devant mon air surpris, il m'a expliqué qu'une **ARMOIRE À GLACE** était un homme très **grand** et très large d'épaules.

– Il a dit que tu étais une *fille sociable* et que tu avais plein de bonnes idées, a affirmé papa. Il a aussi souligné ton *excellent* travail en poésie, en dictée, en composition française et en géographie.

– Et, ai-je demandé, il a ajouté autre chose?

– Oui, il est très heureux de t'avoir dans sa classe.

Je n'en revenais pas. C'est bien le premier prof qui ne se plaint pas de ma distraction et de mon **bavardage**! Sans parler que les maths, c'est vraiment pas mon fort...

Des enseignants comme lui, ça donne envie de faire des efforts. Je ne peux pas en dire autant de **CRUELLA**!

– Par contre, ta prof d'anglais est beaucoup moins satisfaite, a poursuivi papa.

Oups! Ça, il fallait s'y attendre...

– Tu vas devoir te mettre sérieusement à étudier au lieu

de passer ton temps à refiler des
billets à tes amies durant le cours.
– Des billets, elle exagère, ai-je
rétorqué. Je n'ai passé qu'un seul
petit papier de rien du tout à
Marie-Ève! *Et j'ai eu la
malchance de me faire prendre.*
– Comme preuve, madame Fattal
a sorti ton billet de son sac et l'a agité
sous mon nez, a raconté papa.
Puis, elle me l'a tendu solennellement.
Mais quand j'ai lu le message que
tu avais écrit, j'avoue que j'ai dû me
retenir pour ne pas **éclater de rire**!

Heureusement qu'il ne l'a pas fait!
Je l'ai échappé belle! Au moins,
mon père semble me comprendre.

Mercredi 8 octobre

Comme la plupart des nouveau-nés
(c'est maman qui le dit), Zoé
a des coliques. Ça signifie qu'elle a
mal au ventre. Résultat : elle a **hurlé**
toute la soirée. Il n'y a que papa
qui parvient parfois à la calmer.

Bref, tout à l'heure, Zoé venait
de s'endormir dans ses bras quand
papa a murmuré :
– Mon p'tit *bichon*, tu es le plus
beau des bébés !

Caroline, qui dessinait une famille
de cochons, a quitté brusquement
le salon. Je pensais qu'elle allait aux
toilettes. Comme elle ne revenait pas,
je suis montée dans notre chambre.

Vêtue de son imperméable jaune
et chaussée de ses bottes de pluie,
Caro fourrait ses cochons
en peluche dans son sac.

Frappée de stupeur, je lui ai
demandé :
— Mais… qu'est-ce que tu fais ?
— J'en ai assez de mes parents qui
ne m'aiment presque plus depuis que
ce **BÉBÉ LALA DE RIEN DU TOUT**
est né ! Je m'en vais !
— Tu ne peux pas faire une chose
pareille ! me suis-je écriée. Je t'assure
que nos parents nous aiment toujours
beaucoup. D'accord, papa a dit
à Zoé qu'elle était le plus beau
des bébés. Mais je suis certaine

qu'il a dit la même chose à
ta naissance et à la mienne !
– Alors papa est un menteur.
Et maman, elle est toujours occupée
avec son bébé. **Je veux changer de famille.**
Je trouverai bien des gens qui
voudront m'adopter.
– Et moi, tu m'abandonnerais ?
ai-je dit.
– Il te resterait une sœur, a-t-elle
répondu **FROIDEMENT**.
– Voyons, Caro, c'est pas pareil !
Tu es unique, et je t'aime !

Bon, j'ai quand même fini par
la convaincre de rester vivre avec nous.
Pfff ! Je te jure, cher journal, que les
petites sœurs, c'est pas de tout repos…

Dimanche 12 octobre

Quand je te disais que ce n'était pas de tout repos… Caroline a remis ça ce soir, alors que Zoé, elle, **s'époumonait** depuis plus d'une heure à cause de ses **coliques**.

— J'en ai marre de ce bébé qui pleure tout le temps! s'est écriée Caro, elle-même au bord des larmes. **Ça me donne mal à la tête!** Et puis, tout ce que Zoé sait faire, c'est des **rots**, des **régurgitations**, des **pipis** et des **cacas**! C'est vraiment pas intéressant!

— Allons dans notre chambre, lui ai-je proposé. On fermera la porte et on sera tranquilles, juste toutes

les deux. Tu aimerais que je te
raconte une histoire?

Caroline a hoché la tête et, à
ma grande surprise, elle m'a prise
par la main pour monter l'escalier.

Elle a choisi un livre qu'elle avait
déjà lu des centaines de fois et qu'elle
connaissait par cœur. Devine lequel,
cher journal? *Les trois petits cochons!*
Avec Nouf-Nouf dans les bras,
elle s'est blottie contre moi. Soudain,
j'ai eu l'impression qu'elle n'avait
plus sept ans, cinq mois et quatre
jours, mais qu'elle était encore toute
petite et qu'elle allait se mettre
à sucer son pouce. J'ai commencé
à lire: « Il était une fois trois petits

cochons qui vivaient *heureux*
à l'orée de la forêt… »

Mercredi 15 octobre

Ce matin, il y a eu un **tremblement de terre** en Turquie. Monsieur
Gauthier nous en a parlé en classe.

Il a demandé :

– Qui sait où se trouve la Turquie ?

– Moi, ai-je répondu.

En effet, oncle Alex y est allé
l'hiver dernier. J'avais donc planté
une **PUNAISE** rouge au milieu
de la Turquie, sur la grande carte
du monde qui se trouve au-dessus
de mon bureau. Cette carte,
c'est mon oncle qui me l'a offerte

il y a bien longtemps. Et chaque fois qu'il part faire un reportage photographique dans un nouveau pays, je signale celui-ci au moyen d'une PUNAISE rouge.

– Bien, Alice! a dit monsieur Gauthier. Peux-tu venir nous montrer ce pays sur la carte?

Ensuite, notre enseignant nous a raconté que ce **SÉISME** avait causé des centaines de morts.

Ce soir, je me suis glissée à côté de papa qui regardait les informations à la télé. Les images m'ont **bouleversée**. On voyait les décombres d'une école. Les secouristes retiraient un à un les corps des enfants et ceux de leurs enseignants. Une femme berçait son bébé mort devant les ruines de sa maison. Et un homme hagard soutenait sa vieille mère. Ils avaient perdu toute leur famille. *C'était trop triste* ! J'ai filé dans ma chambre.

Caroline m'a demandé :

– Mais… pourquoi tu pleures ?

– Je ne pleure pas, ai-je répliqué. J'ai juste le nez et les yeux qui piquent. Ça doit être une allergie.

Caro a continué :

– Alice, je le vois bien que tu pleures !

Alors, j'ai éclaté en sanglots.

Ma sœur était inquiète. Elle m'a
fait asseoir sur son lit et m'a mis
Tire-Bouchon et Cochonnet dans
les bras. Dès que j'ai été capable
de parler, je lui ai expliqué la raison
de ma peine. Elle a fait de son
mieux pour essayer de me consoler.
Mais quand même, des fois, la vie est
trop injuste! Bon, je te laisse, cher
journal. J'ai juste une envie : me
blottir dans mon lit contre mon chat
bien-aimé.

Jeudi 16 octobre

Ce matin, j'ai raconté à Marie-Ève ce que j'avais vu à la télé.

– C'est terrible! a-t-elle reconnu.

– Non seulement il y a plein de morts, ai-je ajouté, encore **bouleversée**, mais en plus, les *survivants* n'ont plus de logement. Ils manquent de nourriture, d'eau potable, de médicaments, bref, de tout. Il faudrait les aider.

– Monsieur Gauthier a dit que la **Croix-Rouge** envoyait des secours, m'a rappelé mon amie.

– Oui mais nous, qu'est-ce qu'on pourrait faire pour eux? ai-je insisté.

Marie-Ève a haussé les épaules en signe d'impuissance:

— Comment veux-tu qu'on fasse quoi que ce soit, Alice ? a-t-elle répondu. On habite à des milliers de kilomètres de la Turquie.

Tout à coup, j'ai eu une idée.
— Les gens vont avoir besoin de beaucoup d'argent pour reconstruire leurs villages, lui ai-je expliqué. Et si on récoltait des sous comme on le fait chaque année à l'Halloween pour l'Unicef ? On pourrait demander à tous les parents de l'école de participer.
— Wow ! s'est exclamée Marie-Ève. Alice, tu es géniale !
On est allées trouver monsieur Gauthier. Lui aussi était emballé

par mon idée. Il a promis d'en parler
au directeur.

Vendredi 17 octobre

– Veux-tu un biscuit? ai-je demandé
à Marie-Ève en arrivant à la **récréation**.
– Non merci, Alice, je n'ai pas faim.
Euh… je… je voudrais te confier
un secret.
– Quoi? ai-je demandé, intriguée.
– Simon, eh bien, je le trouve
vraiment beau. Durant le contrôle
de fractions, je me suis aperçue
qu'il me regardait. Je lui ai souri.
Quand il m'a souri à son tour,
mon cœur s'est mis à battre très vite,
comme un **cheval au galop** et…

Catherine Provencher l'a **interrompue**.

— Alice, tes biscuits ont l'air délicieux. Je peux en avoir un, s'il te plaît?

Pour avoir la paix, je lui ai donné les deux biscuits qui me restaient. Elle est repartie, toute contente.

— Et puis? ai-je demandé à Marie-Ève.

— Après, j'ai eu beaucoup de difficultés à me concentrer sur les dernières fractions. Je crois que je suis en train de tomber *amoureuse*.

J'ai dévisagé mon amie. Elle était toute rose. On aurait dit qu'elle *flottait*.

— C'est vrai qu'il est beau, Simon, ai-je reconnu. Et gentil aussi. Mais lui qui a l'air un peu timide, ça m'étonne qu'il ait osé te fixer comme ça !

Prise d'une inspiration subite, j'ai ajouté :

– Ça doit être l'amour qui lui donne des ailes !

Marie-Ève a poussé un soupir d'aise.

Cet après-midi, monsieur Gauthier nous a communiqué une bonne nouvelle, à mon amie et à moi. Le directeur est d'accord pour qu'on organise une collecte de fonds pour venir en aide aux victimes du **tremblement de terre**. Il demande que, toutes les deux, on écrive aux parents en leur expliquant notre démarche. Il remettra une copie de cette lettre à chacun des élèves. Notre enseignant souhaite nous encourager dans ce beau projet. Il nous donne 50 $ pour notre collecte. Décidément, il est adorable!

En rentrant à la maison, j'ai ouvert ma tirelire. Elle contenait 4,13 $. Je les ai placés dans une enveloppe avec le billet de monsieur Gauthier. Papa a ajouté 20 $. Ce qui fait déjà 74,13 $. Notre collecte s'annonce plutôt bien.

Comme dessert, ce soir, il y avait de la crème au chocolat! Cependant, je lui ai trouvé un goût bizarre.

– Maman, il n'y aurait pas du **soya** là-dedans, par hasard?

– Si, a-t-elle avoué.

Au moins, elle est honnête! Mais c'est plus fort qu'elle, elle ne peut pas s'empêcher de faire de nouvelles tentatives…

– Ton frère Alex est-il déjà rentré du Botswana? a demandé maman à papa, comme pour **faire diversion**.

– Oui, hier soir, a répondu papa. On s'est parlé tout à l'heure au téléphone. Il est pressé de venir voir sa toute nouvelle petite nièce. Dimanche, ça te convient, Astrid?

– C'est parfait, a dit maman. Mais assez tôt, parce qu'à partir de 5 heures du soir, on ne s'entend plus à cause des coliques.

Oncle Alex! Ça a fait **TILT** dans ma tête!

– Je n'ai plus faim pour le dessert, ai-je décrété en me levant de table.

Je me suis précipitée sur le téléphone.

– Bonsoir, oncle Alex! Comment vas-tu?

– Alice! Quelle bonne surprise!

– C'était comment, le Botswana? lui ai-je demandé.

– C'est un pays magnifique, juste au nord de l'Afrique du Sud. J'ai eu le privilège de passer deux semaines avec des Bochimans.

– C'est quoi, des *Bochimans*?

Ce sont des habitants du Botswana?

– Oui, des autochtones.

– Il y a des Amérindiens en Afrique?
me suis-je étonnée.

– Oh non! a répondu oncle Alex.
Ce sont d'autres autochtones
qui vivent dans le désert du Kalahari
depuis des milliers d'années. J'ai vu
aussi deux lions! J'ai même réussi
à en photographier un au zoom
pendant qu'il rugissait! C'était très
impressionnant! Je te montrerai mes
photos.

Changeant de sujet, je lui ai dit:
– Tu sais qu'il y a eu un **tremblement
de terre** en Turquie?

– Oui, quelle catastrophe! a-t-il
répondu. Pauvres gens! L'épicentre
du séisme se trouve à moins de
100 km de l'endroit où j'ai séjourné
au mois de mars…

– Justement, c'est pour ça que
je t'appelais. Pour venir en aide
aux survivants, ma meilleure amie
et moi, on organise une collecte
de fonds à l'école, ai-je expliqué.
J'ai pensé que tu accepterais
peut-être de participer.

– Tu peux compter sur moi, Alice!
Quand je viendrai vous dire bonjour
ce week-end, je te remettrai
un billet. Écoute… Moi aussi, j'ai
une idée.

– …

– Alice, je ne comprends plus ce que tu dis! C'est quoi, cette **sirène d'alarme**? Allô?

– Attends un instant, oncle Alex! ai-je crié dans le combiné.

J'ai couru dans ma chambre avec le téléphone.

– Voilà, tu m'entends maintenant? **C'est l'heure des coliques de Zoé!** Bon, qu'est-ce que tu disais?

– Et si on organisait une exposition de mes photos de Turquie dans ton école? a-t-il proposé. On ferait payer les visiteurs. Cela vous permettrait de recueillir davantage d'argent. Qu'en penses-tu?

Je suis restée sans voix. Oncle Alex
a demandé :

– Alice, tu es toujours là ?

– Oui, oncle Alex. C'est vrai,
tu ferais ça ?

Je l'adore!

C'était tellement excitant ! J'ai tout
de suite appelé Marie-Ève. Elle aussi
trouve cette idée *super hyper géniale* !
On voudrait déjà être lundi pour
en parler à monsieur Rivet.

Ce soir, j'ai accompagné maman
au supermarché. On faisait la file à
la caisse quand je me suis rappelé que
Caro nous avait demandé de racheter
du ketchup. J'ai foncé à travers
le magasin. Au rayon des condiments,

je suis tombée sur Éléonore et
son père. Elle m'a demandé ce que
monsieur Gauthier avait à nous dire
de *si important*, à Marie-Ève et
à moi. Je l'ai mise au courant de
notre collecte de fonds. Elle n'a pas
fait preuve de beaucoup d'*enthousiasme*.

Il faut dire que ce n'est pas elle qui
en a eu l'idée… *Et qu'elle et
Marie-Ève ne se supportent pas.*

Lundi 20 octobre

Marie-Ève m'attendait sur le tapis
de feuilles jaunes et rouges au pied
de notre érable. On a discuté de
notre collecte. Puis je lui ai raconté

que j'avais croisé Éléonore
au supermarché.

– Évidemment, tu ne lui as rien dit !
a lancé mon amie.

– Ben si, ai-je répondu, étonnée.

– Quoi, tu l'as dit ? **Nooon**, Alice,
je ne te crois pas.

– Oui, je lui en ai parlé. Il n'y a pas
de quoi en faire un **DRAME**, tout de
même !

– Mais c'est pas possible ! **A RUGI**
Marie-Ève.

– Pourquoi ? Ça n'a rien d'un secret.
D'ailleurs, toute l'école sera bientôt
au courant !

– Si, justement, c'était un secret !
a-t-elle crié.

Elle était déchaînée.

Franchement, je trouvais qu'elle exagérait. D'autant plus que c'était moi qui, au départ, avais pensé à recueillir de l'argent pour venir en aide aux **Turcs sinistrés** !

— Je suis très déçue ! a-t-elle ajouté, au bord de la crise de nerfs.

Me tournant le dos, elle s'est mise à sangloter.

— Je n'aurais jamais pensé ça de toi ! a-t-elle ajouté. **Tu as trahi ma confiance** !

Je n'avais encore jamais vu Marie-Ève dans un état pareil !

Gigi Foster s'est approchée :
— Qu'est-ce qui se passe ? Vous vous disputez ?

— Toi, ne te mêle surtout pas de ça !
a aboyé Marie-Ève, comme si elle
allait la mordre.

— Les inséparables se chicanent…,
a commenté Gigi Foster de sa voix
moqueuse. **On se croirait dans
un téléroman !**

Cette peste s'est éloignée. La cloche
a sonné. Marie-Ève m'a plantée là.
Elle s'est précipitée vers l'escalier.

En classe, notre enseignant nous
a accueillis avec une boîte de
mouchoirs en papier à la main.

— Bonjour, les abis. J'ai un terrible
rhube. J'ai un gros mal de **TCHOUUU**,
euh, mal de tête. Je vous demanderai
donc de bien écouter. Ainsi,

je n'aurai pas à répé TCHOUUU TCHOUUU TCHOUUU, euh, répéter.

Son nez était aussi rouge que celui d'un clown. Pauvre monsieur Gauthier!

En attendant, moi, j'avais un tout autre sujet de préoccupation. J'étais consternée. Comment les choses avaient-elles pu déraper à ce point avec ma meilleure amie? Dire qu'en cinq ans, on ne s'était jamais disputées! Pourtant, j'étais persuadée de ne rien avoir fait de mal. D'accord, j'avais parlé à Éléonore de notre projet de collecte de fonds. Mais comment aurais-je pu deviner que Marie-Ève voulait le garder secret? D'autant plus que cette semaine, on allait solliciter l'aide des parents… Tout ça n'avait aucun sens.

— Et alors Ali TCHOUM, euh, Alice, tu rêves ? a dit monsieur Gauthier.
Je viens de te demander le conditionnel présent du verbe finir.

Brusquement ramenée à la réalité, j'ai commencé :
— Euh… Je finis, tu finis, il finit…
— Non, Alice ! m'a interrompue notre enseignant. J'ai dit le conditionnel pré TCHOUM, euh, le conditionnel présent et non l'indicatif présent.
Tu étais encore une fois dans la TCHOUU TCHOUU, dans la lune !
Je me vois obligé de te mettre zéro.

En entendant ces mots, voilà que tout à coup, ce fichu conditionnel présent m'est revenu à l'esprit.

J'ai dit :

— Monsieur, je m'en souviens maintenant, du conditionnel !

Mais monsieur Gauthier a répondu :

— Trop tard, Alice. Il fallait écout**TCHOUUU**! euh, écouter. Que ça te serve de le**TCHOUM**, de leçon !

ZÉRO! Je n'en revenais pas ! Et de la part de monsieur Gauthier en plus ! Lui qui d'habitude est si compréhensif ! Jamais je ne l'aurais cru capable de distribuer des **ZÉROS**. Même **GIGI FOSTER** et Jonathan n'en ont encore jamais eu avec lui.

Bon, je me doutais que c'était
son gros rhume qui le rendait **IMPATIENT**.
Mais quand on est malade, on
se soigne à la maison plutôt que de
risquer de contaminer toute l'école!

Et ma meilleure amie qui était
fâchée contre moi alors que je ne
comprenais même pas pourquoi...
D'ailleurs, ce zéro, je l'ai eu à cause
de cette *stupide dispute*. Il y a
des jours où la vie est vraiment *nulle*!
C'est moi qui aurais dû être terrassée
par un virus, ce matin. Ainsi, je serais
restée tranquillement au lit à me faire
dorloter par maman et je n'aurais
pas dû affronter deux personnes
merveilleuses qu'un mauvais sort a
transformées en véritables *dragons*.

Quand la cloche a sonné,
Marie-Ève s'est précipitée dehors.
Il fallait absolument que j'éclaircisse
le **mystère de sa colère**. De plus,
on devait aller parler de la proposition
d'oncle Alex à monsieur Rivet.
Et il fallait aussi rédiger la lettre
aux parents. Ce serait trop bête
qu'un si beau projet tombe à l'eau…
Et le plus bête de tout, ce serait
de **perdre ma meilleure amie** !
D'ailleurs, où était-elle ?

J'ai fini par la retrouver sous
l'escalier de la cour. Elle a regardé
ailleurs et m'a crié :
– **Va-t'en !**
J'ai pris mon courage à deux mains.

– **Ta réaction est injuste!** lui ai-je
lancé. Oui, j'ai parlé de la collecte
à Éléonore. D'accord, je sais que
tu ne l'aimes pas, cette fille,
mais ce n'est pas une raison pour
me traiter de la sorte!
– Tu lui as parlé de l'opération
pour la Turquie? a demandé
Marie-Ève d'un air surpris.

J'ai soupiré:
– Oui! Tu ne vas quand même pas
continuer à me poser la même
question jusqu'à la fin des temps?
Depuis ce matin, je te réponds oui.
Oui, oui, oui, c'est clair?

Une lueur d'espoir a brillé dans
ses yeux.

– Oh, Alice ! Comme ça, tu ne lui as rien dit ?

Là, je trouvais son attitude **CARRÉMENT bizarre**. Elle était devenue folle ou quoi ?

Marie-Ève a poursuivi :
– Tu ne lui as pas parlé de Simon ?
– De Simon ?! Bien sûr que non ! Qu'est-ce que Simon a à voir avec notre projet de collecte ?

Marie-Ève m'a entraînée dans une **ronde effrénée**.
– Oh, je le savais, Alice, que tu pouvais garder un secret ! Tu es toujours ma meilleure amie !

Soudain, ça a fait tilt. Elle et moi, on ne parlait tout simplement pas de la même chose… Elle avait cru que j'avais raconté à Éléonore qu'elle était amoureuse de Simon ! *Non mais ! Comme si j'étais capable de faire une chose pareille ! Pour qui elle me prend ?*

Enfin, l'affaire est résolue. On s'est réconciliées. Monsieur Rivet a trouvé l'idée d'oncle Alex *formidable*. Il lui a téléphoné, et ils ont tout organisé ensemble. L'exposition se tiendra jeudi soir dans la grande salle de l'école, celle où ont lieu les événements spéciaux comme les spectacles de fin d'année.

Marie-Ève a eu l'idée de faire
une affiche pour accueillir les visiteurs
à l'entrée. Nous la fabriquerons
chez moi, mercredi soir, après l'école.
Mon amie restera à coucher
à la maison. *Cool*!

Mardi 21 octobre

Ce matin, Africa nous a rejointes
sous l'érable. Je me suis exclamée :
– Salut, Africa ! Tes tresses sont
superbes, encore plus que d'habitude !
– Merci, Alice ! Ma mère m'en a fait
de nouvelles hier soir. Elle adore
me coiffer ! Tenez, c'est pour vous,
les filles.

J'ai ouvert l'enveloppe qu'elle m'a tendue. À l'intérieur, il y avait 20 $.

– C'est pour la collecte de fonds? ai-je demandé. Tu diras un **grand** merci à tes parents de notre part.

– Mon père m'a promis de donner de l'argent un peu plus tard cette semaine. Mais moi aussi, je voulais vous soutenir dans votre projet. Alors ce billet est pour vous. Il sera bien plus utile en Turquie que dans ma tirelire!

– Oh Africa! s'est exclamée Marie-Ève. *Comme tu es gentille!*

Elle a raison. Africa Seydi pense toujours aux autres.

Mercredi 22 octobre

19 h 50. Marie-Ève se trouve sous la douche. Moi, je suis déjà en pyjama. Notre affiche est vraiment réussie. Sur le grand carton blanc que nous a donné le directeur, j'ai écrit :

Solidarité avec la Turquie
Exposition de photos
d'Alex Aubry
à l'École des Érables
Le jeudi 23 octobre
de 19 h 00 à 21 h 00
Prix d'entrée : 5 $ par famille

Tout autour, on a collé des photos des villages **dévastés** qu'on a découpées dans le journal.

Bon, maintenant, il nous reste la leçon d'anglais à étudier… À deux, c'est quand même moins difficile. D'autant plus que, comme Marie-Ève est bonne en anglais, elle pourra m'aider. Ensuite, on ira se coucher au sous-sol, dans le grand lit de la chambre d'amis. Cependant, je doute qu'on réussisse à s'endormir rapidement! On est bien trop excitées.

Vivement demain !

Retrouve Alice
dans :

SYLVIE LOUIS

Le journal
d'Alice

Tome 1 ★ DEUXIÈME PARTIE

Dominique et compagnie

**Catalogage avant publication
de Bibliothèque et
Archives nationales du Québec
et Bibliothèque et Archives Canada**

Louis, Sylvie

Le journal d'Alice
Pour enfants de 7 ans et plus.

ISBN 978-2-89739-230-7
ISBN numérique 978-2-89739-304-5
(vol. 1., part. 1)
ISBN 978-2-89739-231-4
ISBN numérique 978-2-89739-305-2
(vol. 1., part. 2)
I. Battuz, Christine. II. Titre.

PS8623.O887J68 2015   jC843'.6
C2015-940124-0
PS9623.O887J68 2015

Direction littéraire et artistique :
Agnès Huguet
Conception graphique :
Nancy Jacques
Révision et correction :
Céline Vangheluwe

Droits et permissions : Barbara Creary
Service aux collectivités :
espacepedagogique@
dominiqueetcompagnie.com
Service aux lecteurs :
serviceclient@editionsheritage.com

Dépôt légal : 1er trimestre 2015
Bibliothèque et Archives
nationales du Québec
Bibliothèque et Archives Canada

Dominique et compagnie
1101, avenue Victoria
Saint-Lambert (Québec) J4R 1P8
Téléphone : 514 875-0327
Télécopieur : 450 672-5448
dominiqueetcompagnie@editionsheritage.com
dominiqueetcompagnie.com

Imprimé au Canada

Nous reconnaissons l'aide financière
du gouvernement du Canada par
l'entremise du Fonds du livre du Canada.

Nous reconnaissons l'aide financière
du gouvernement du Québec par l'entremise
du Programme de crédit d'impôt –SODEC –
Programme d'aide à l'édition de livres.

Nous remercions le Conseil des arts
du Canada de l'aide accordée
à notre programme de publication.

Financé par le gouvernement du Canada | Canadä